Baïkonour

De la même auteure

Les Déraisons, Éditions de l'Observatoire, 2018 ; 10/18, 2019.

Odile d'Oultremont

Baïkonour

Éditions de
L'Observatoire

ISBN : 979-10-329-0432-9
Dépôt légal : 2019, août
© Odile d'Oultremont et les Éditions de l'Observatoire / Humensis, 2019
170 *bis*, boulevard du Montparnasse, 75014 Paris

*À vous deux encore, mes chéries,
puisse cette histoire souffler sur vous
les vents audacieux de la liberté.*

« Elle est retrouvée.
Quoi ? – L'Éternité.
C'est la mer allée
Avec le soleil. »

« L'éternité », Arthur Rimbaud

La sécurité d'abord.

Au quotidien, c'était sa servitude, son indiscutable sujétion ; bien plus qu'un mantra, il s'agissait pour lui d'une obligation légale.

Depuis quarante-deux ans, Vladimir Savidan était pêcheur de crustacés et de gastéropodes en mer de Bretagne.

Ce jour de février, il embarque seul à bord du *Baïkonour*, un Cleopatra Fisherman 38. Par vent fort, il disparaît à environ sept nautiques des côtes, violemment happé par une vague cannibale qu'il pensait abordable. La météo, pourtant clémente, n'avait rien annoncé de cet épiphénomène. En quarante-sept secondes, elle envoie valser l'engin en polyester renforcé de fibre de verre, pourtant connu pour affronter les mers les plus hostiles. Cette fois, la Rolls des bateaux de pêche ne fait pas le poids.

D'urgence, il remonte les casiers. La tempête qui soulève la mer attrape l'engin comme une frêle proie, et la barre ainsi libérée, accule le nez du bateau à la dérive. Les vagues qui imposent des creux de neuf mètres par endroits éclatent sur la poupe en y balançant quarante mille litres d'eau d'un seul coup. Ironiquement, ça fait l'effet d'un tremblement de terre.

L'Atlantique furibond envoie promener la barre, la catapulte aux antipodes, la faute à quoi, il n'en sait foutrement rien. Submergé par une brusque inquiétude qui enfle et se mue en panique, Vladimir se demande bien à qui il devra en vouloir de perdre ainsi la vie.

Soulevé comme une caresse d'abord, il plonge ensuite tout droit sous la surface. On dirait un jouet lancé bêtement dans une baignoire. Aussitôt immergé jusqu'à plusieurs mètres, le marin, seul à bord, est séquestré par d'aquatiques tentacules libérant, à quelques centimètres à peine de la surface, une puissance inouïe.

Dans un état de semi-conscience, paralysé par endroits, une partie de lui sait qu'il est temps de lâcher l'affaire, l'autre lutte encore, et il rêve ou peut-être seulement imagine-t-il que sa femme est sa fille et que sa fille est sa femme, il mélange l'essentiel, il fait flou et humide, il a conscience d'être à la limite de l'état des choses et curieusement au lieu de chercher l'air à respirer, il avale l'eau, la bouche pleine entièrement ouverte, laisse entrer la mer, il ignore pourquoi, elle s'introduit en lui comme une anguille, glisse le long des parois de sa trachée et, de cette façon, s'empare de lui, ensuite peu à peu le confisque au lieu et au moment, et le voilà pris. Sans attendre l'asphyxie, il se mue déjà en tôlard de la mer, un milliard de barreaux en acier pour chacune des particules d'oxygène manquantes et d'un coup une prison gigantesque se constitue autour de lui, l'Alcatraz des fonds marins pour le gober d'une traite. Vladimir est coincé, harnaché par les jambes, une masse excessive et confuse lui ronge les tendons, les muscles, il parvient encore à ouvrir les yeux et distingue, très vaguement apparentes, des traînées sanguinolentes qui se mélangent aux nappes et le narguent effrontément. Il pourrait s'en détacher. Il voudrait penser à son Édith et à son Anka, leurs traits coutumiers réconfortants se rappelant à lui comme un baroud d'honneur, mais c'est le visage de la Mer qui apparaît avec ses milliards d'énormes yeux embourbés dans le flegme et le dédain, et qui ondulent en rouleaux nerveux le fixant de partout. À présent, il faut songer à autre chose que la vie, mais pour engager cette tâche il se sent sous-équipé, il n'est pas philosophe, pas croyant, il n'est que marin-pêcheur. *Je suis capitaine, capitaine d'un bateau.*

Au commencement, Anka avait vu sa mère ensuite son père et puis la mer. Elle pousse ses premiers cris pointus en écho à ceux des mouettes, foule de ses pieds minuscules le sable humide, et ainsi, front plissé à la verticale du nez, allègrement déterminée, marche ensuite des centaines de mètres sans tomber une seule fois. Plus tard, elle jette des galets projetés par dizaines sur la surface de l'eau, connaît le petit manège des marées par cœur, est capable de prédire la météo rien qu'à la couleur du ciel, elle n'a que sept ans, un vocabulaire océanique maîtrisé sans effort, le nom de chaque espèce de poissons ou de crustacés retenu bien mieux que celui de ses camarades de classe, une curiosité marine, jamais rassasiée, cent mille questions sur le pourquoi du comment, auxquelles son père, Vladimir, l'expert, le pêcheur, essaie toujours d'apporter une réponse. Elle a neuf ans, se lève chaque matin, écarte les rideaux de sa chambre, à travers la vitre elle aperçoit le monstre qui s'ébroue, paisible ou agité selon les jours et les saisons, elle devine sa posture avant même de lui accorder son regard. 223 000 kilomètres carrés d'une masse d'eau salée recouvrant une plaine abyssale creusée jusqu'à 4 735 mètres. Au golfe de Gascogne, depuis toujours, Anka confie tout. Il possède les attributs de la meilleure amie. À ce stade, il ne trahit rien, il écoute, il inspire, prodigue même des conseils. Plus tard, à l'adolescence, Anka croit fermement à l'indéfectibilité des choses, son amitié avec la mer lui semble une réalité inébranlable, elle n'a pas besoin de regarder des séries télé, d'aller au cinéma, d'écouter de la musique, à quarante mètres sous les marches de sa maison, elle dispose du spectacle le plus complet qui soit, l'image parfaite vautrée sous ses yeux agissant comme un langage universel, abolissant toute notion du temps et de l'espace. De l'océan, Anka ressent la musique virtuose, tout à la fois concertiste, soliste, instrumentiste, une symphonie inépuisable, la justesse des notes à son paroxysme, comme s'il avait l'oreille absolue, chantant, fredonnant, sifflant des partitions émérites, à longueur de vagues. Elle s'approche tout au bord de ses grands espaces et aussitôt, sous l'image et le son, naissent des aventures infinies. Il y a tant à faire face au vent, les inventions, empilées dans sa tête, tiennent à faire valoir leur droit, chacune, alors Anka se met à l'ouvrage et pare au plus pressé, creuse un trou, construit un château, pêche le bigorneau, sauve les crabes, plonge la main dans les cavités rocheuses, tente d'attraper des poissons, de plus en plus petits et de plus en plus rapides, à mains libres, c'est sa pêche miraculeuse que sa mère finit toujours par cuire à la vapeur, peu importe la qualité de la bête. Édith se contente de cuisiner, elle ne goûte à rien.

— Je suis allergique aux poissons...

Et Vladimir d'ajouter, une pointe de doute à fleur de voix :

— Depuis que tu as épousé un pêcheur !

L'année suivante, Vladimir accepte pour la première fois d'embarquer sa fille sur son bateau, le *Baïkonour*, un Cleopatra Fisherman 38, *la Rolls des bateaux de pêche*, comme il pérorait parfois. Le résultat d'une lutte quasi sanguinaire avec Édith, qui a toujours refusé jusque-là la possibilité même que sa fille unique monte à bord.

— Allez, j'ai dix ans, insiste la fillette.

— Allez, elle a dix ans, rempile Vladimir.

Édith grille une cigarette pour affronter ce dilemme avec elle-même.

— C'est bien plus dangereux de fumer, siffle son mari tandis qu'elle pèse le pour et le contre.

— D'accord. Deux heures, pas une minute de plus et je vous fais un potage, finit-elle par proposer.

— C'est du chantage.

Anka soupire en questionnant :

— À quoi, la soupe ?

Édith observe sa fille d'un œil amusé, elle la tient, elle le sait, depuis le temps qu'elle rêve de monter à bord avec son père.

— Poireaux.

— Dégueulasse, siffle-t-elle.

— C'est ça ou tu restes à quai !

Vladimir pouffe, Édith aussi, l'accès au *Baïkonour* se mérite.

Bien des années plus tard, elle se souvient surtout du bruit de la coque frappant la surface, à quinze nœuds, de plein fouet, le museau du *Baïkonour* qui perce sa masse et y plonge pour en ressortir plus vaillant encore. Elle observe son père à la manœuvre, tendu bien droit derrière ses trois écrans de contrôle, le regard stationnaire, filant au plus loin. Elle endosse un gilet de sauvetage et par-dessus un ciré jaune, dans cet accoutrement elle se sent fille de marin mais pas seulement. Il y a entre elle et la mer un rapport de filiation, un lien hyper-ténu, nulle part répertorié, qu'elle conserve farouchement, un langage qui, par nature, défie toutes les caractéristiques de l'idiome classique et qui n'appartient qu'à elle : le mieux pour s'adresser à l'océan est de se taire. De retenir les mots, de les maintenir bien en silence et de ne parler qu'avec les yeux.

Par-dessus la rambarde, rapidement après leur départ, elle vomit le poireau cuit mixé à la crème et au bouillon. Sur le moment, elle maudit sa mère, mais avec une houle à deux mètres cinquante, elle aurait en fait dégueulé n'importe quoi. Avec la vitesse, environ vingt-cinq nœuds lâchés sous un moteur à deux cylindrées, l'écume velue du sillon arrière mousse comme de la pâte à meringue. Anka se demande, à observer cette traînée blanche, ce qui peut bien persister de la vie juste en dessous. Des bancs entiers de poissons ratiboisés sous la puissance des propulsions, et soudain, à profusion, du tartare de vies aquatiques, que d'autres bestioles gloutonnes vont s'empresser de bouffer allègrement. Ainsi, sous la surface, sauvagement éventrée par le *Baïkonour*, d'une folle anarchie résulte la Méthode, quasi théorique qui structure la vie sous-marine, l'une des plus puissantes énergies vitales. Et par tout cela, Anka est fascinée.

— Ça se lève, on rentre !

Soudain, Vladimir brait le commandement, elle reconnaît dans sa voix une musique contrariée et peine à définir s'il est inquiet ou surpris. Anka proteste :

— Mais ça ne fait qu'une heure, meugle-elle à son tour pour couvrir de sa voix fluette le vacarme du moteur.

— C'est qui, le capitaine ?

Le soupir d'Anka, visible même à la forme de ses lèvres, se prolonge encore quelques secondes.

— C'est toi. De toute façon, c'est toujours toi.

Il se marre, éclate de rire.

— Viens t'asseoir à côté de moi.

— Je peux pas rester sur le pont ?

— Non, claque-t-il.

Un soupir encore et, sans rechigner, Anka prend place à la droite de son père. Les creux de vagues s'additionnent les uns aux autres, franchis par le *Baïkonour* avec grâce et bravoure, c'est ainsi qu'elle prend conscience du courage des bateaux bien plus que de celui des marins. Elle aime la bête, sa carcasse en polyester, son pont en bois de balsa, les parois intérieures en teck, en comparaison avec les autres bateaux, la bécane de Vladimir, c'est de l'hyper-luxe. Elle contemple les flots infinis devant elle et se souvient du jour où ses parents lui annoncèrent l'achat d'un nouveau bateau de pêche, Anka fut surprise de constater qu'il était neuf et d'une incroyable modernité. Édith décela dans l'expression ahurie de sa fille un questionnement véritable : d'où pouvait bien venir l'argent ? Non pas qu'ils aient été pauvres, mais elle savait bien que ces engins-là coûtaient un argent fou.

– Ça vient de ta grand-mère Ajä, précisa-t-elle à sa fille.

– Ah bon ? Je savais pas qu'elle était riche.

Édith haussa les épaules, pas plus avisée que sa fille.

– Elle a hérité de son mari quand il est mort. On n'a jamais vraiment su.

Aussitôt, Vladimir avait acheté le bateau de ses rêves, *un investissement*, précisa-t-il pour rassurer sa femme qui avait trouvé l'embarcation plutôt sportive.

– On n'est pas à Monaco ici ! plaisantait-elle souvent.

Et bientôt il se mit à naviguer seul, embarqua pour des marées plus courtes, moins chères et tout aussi productives. Il arguait d'une sécurité accrue aux manœuvres et d'une technologie de pointe d'un grand secours en cas de pépin.

– On dirait Bernard Tapie, se moquaient certains de ses collègues qui l'enviaient.

De tout cela, Anka se foutait bien. En réalité, elle n'avait qu'une seule idée : y poser un jour le pied.

Anka Savidan répond :

— Un café, merci.

Et puis s'assied sur la chaise en Formica qu'elle rapproche de la table d'un geste mécanique.

Le commissaire Pierric Hub dépose devant elle une tasse remplie, gravée en minuscule à l'encre verte : « La Bretagne, ça vous gagne », qu'elle enrobe de ses deux mains. Elle a froid, ça n'a rien à voir avec la température extérieure, il fait doux pour cette époque de l'année.

Hub prend place à son tour, de l'autre côté de la table, et murmure :

— Anka, je suis vraiment désolé.

Anka hausse les épaules, n'a pas la moindre énergie, rassurer les autres, c'est une chose qu'elle ne fera pas.

— Ça ne durera pas longtemps, mais il y a des choses que je dois savoir.

Le flic ouvre un premier dossier dont il réajuste la position, saisit une autre chemise en carton à laquelle il ne touche pas, tout juste la rapproche-t-il. Ça le rassure d'avoir toutes les informations auprès de lui, à portée de questionnement. Il inspire intensément, l'attitude est singulière, habituellement il se contente d'une saccade de souffles à vif.

— On ne sait pas très bien ce qui s'est passé.

Pierric balance son regard vers le sol, incommodé, annoncer l'incertitude le gêne, la police est supposée posséder des éléments concrets, idéalement elle tire même des conclusions.

— On n'a rien découvert d'inhabituel à bord, un peu de flotte de-ci, de-là, la cabine en vrac, mais à part ça aucun signe d'incident, pas de traces de blessure. Et pour le reste, il tenait son bateau comme un roi, ses positions étaient correctes, filets rentrés, le matériel de pêche proprement rangé.

Anka ne peut s'empêcher de sourire, *bien sûr, qu'est-ce qu'il croit ?*

— Ça lui arrivait souvent de partir seul ?

— Rarement.

— Est-ce qu'il avait des problèmes de santé ?

Elle fait non de la tête, bouche pincée :

— Il était en pleine forme.

Pierric attrape son mug de café, le hisse avec précaution jusqu'à ses lèvres, le liquide affleure la surface – il a souvent la main lourde. Puis il repose le contenant sur son bureau, deux, trois gouttes dévalent la paroi laquée en rouge et s'écrasent en un micro lac à la base de la tasse. Il tamponne le liquide avec la paume de sa main, faudrait pas que les documents soient tachés.

— On pense qu'il est mort d'une façon un peu stupide, je suis désolé de te dire ça, mais c'est la thèse privilégiée.

— De façon stupide ?! T'es sérieux ?

— Oui. Il a dû tomber à l'eau, je ne sais pas, bredouille-t-il.

Son corps est engourdi, son regard abîmé soutient le sien.

— Tu connais des gens qui meurent de manière intelligente ?

Il est mal à l'aise, se sent chargé, voudrait rouler sous la table. Anka est particulière, pas comme les autres de la région, on ne sait jamais ce qui de la douceur ou de la rudesse prendra le pas, elle peut être affûtée comme un couteau ou d'une grâce prodigieuse. Et surtout elle vient de perdre son père.

— C'est pas à toi que je dois le dire, mais la mer, ça ne pardonne rien.

— Mmhh...

Elle maugrée, ses pensées sont en errance.

— Quoi d'autre ?

— Rien de spécial. Il n'avait pas de gilet...

Anka éclate de rire et Hub sait très bien pourquoi. Comme tout le monde au port, il connaissait Vladimir, ce loup des mers qui ne se souciait de la sécurité que pour les autres. *À part m'irriter les aisselles je vois pas à quoi ça sert...* Il sourit aussi, en direction d'Anka, espère établir une connexion, mais elle ne rit que pour elle et ses souvenirs. Hub n'a rien à faire dans son ironie, elle a déjà fermé toutes les portes.

— Il a pu être secouru par un bateau voisin.

— On le saurait.

— Pas forcément. Admettons qu'il ait été inconscient, ils n'ont peut-être pas son identité.

— Ils communiquent d'une manière ou d'une autre et là on n'a rien reçu.

Elle hausse les épaules, il reste muet, baisse les yeux à nouveau.

— Y a mille hypothèses.

— C'est bien ce que je te dis. En conclure qu'il est mort, après trois jours, c'est un peu hasardeux.

— Je ne pense pas.

Anka soupire.

— Et le *Baïkonour* ?

— La pompe de direction est cassée. On l'a retrouvé à la pointe du Mille. Un coup de bol.

— Il est au port ?

— Dans un hangar chez Robert.

— Je peux le voir ?

– Laisse-moi encore deux jours pour terminer l'enquête et lever les scellés.

Anka acquiesce.

– Et ta mère, ça va ?

– Elle voulait pas venir.

Il comprend bien sûr, secoue la tête. Édith et son mari, c'était quelque chose, un couple comme on en voyait peu, à se chamailler souvent mais avec des mots d'une douceur peu usée, la poésie dans la dispute ou bien l'inverse. À Kerlé, c'était connu, on avait du mal à déceler chez eux le jeu du vrai. *C'est avec lui que je m'engueule le mieux*, disait-elle.

– Tu lui adresseras mes condoléances.

Anka acquiesce, se lève et salue Pierric, qui cherche à l'attirer vers elle. Ils se connaissent depuis vingt ans, lui aussi est de la région. Il pense sans doute devoir solder leur redoutable conversation d'une brève tendresse. Anka n'en veut pas, pas plus qu'elle ne souhaite demeurer plus longtemps sous l'œil chagrin du commissaire. Elle attrape son sac et file vers la sortie. Elle cherche à quitter le ventre de la baleine, ce commissariat imbibé d'humidité et de café, les murs auxquels les reliefs du crépi offrent une petite part poussiéreuse et le linoléum, écrasé à cent mille reprises par des semelles en caoutchouc de marins incrustées de restes de carcasses de poissons et d'algues poisseuses. Ça sent la morue qui a fumé. Il y a urgence à s'extirper. Elle récupère sa carte d'identité au guichet et, de toutes ses forces déchues, pousse la porte tambour.

Dehors, Anka inspire. Indélicat, l'océan fourre dans ses narines une masse d'air ramassée, un piquant saumâtre qui assaille son visage et clôt ses yeux. À ses pieds, le vent balaie les dunes. Sous ses semelles en cuir, des micro particules de désert marin cherchent refuge. Elle reste là un instant, immobile, le regard fermé sur les flots assassins, les volets tirés au nez et à la barbe de cette immensité qu'elle n'ose plus regarder. Et pour la première fois, à marcher sur la digue, le regard porté vers la ville, délibérément, à contresens du grand large, Anka se demande comment faire pour rester *là*, à cet endroit précisément, le berceau de vingt-trois ans d'existence, s'il faut à présent, en longeant la mer, la haïr.

18 février 2017

Municipalité de Kerlé, 12 437 habitants, située à vingt kilomètres à l'ouest de Lorient, département du Morbihan, région Bretagne.

La convocation mentionne d'autres informations en vrac. Marcus méconnaît cette partie de la France, mais l'idée de travailler en bord de mer l'amuse et l'excite à la fois, ça lui rappelle son enfance dans le Var et puis la gestion des vents, c'est une partie de son boulot qu'il affectionne, ça ajoute en contraintes et oblige à la précision. La mission durera un an et huit mois, c'est écrit juste en dessous.

Sa valise gît sur son lit, gueule ouverte, remplie à moitié d'un strict minimum dont il a l'habitude, à force. Quelques vêtements civils pour le week-end, un carnet de dessin et ses compils de jazz. Il est prévu qu'il voyage en train ; traverser le pays et regarder par la fenêtre la succession d'univers intérieurs et songer : *Que peuvent-ils bien faire de leur journée, pourquoi vivent-ils dans ce village ou cette grosse ville, au bord d'une nationale ou sous le clocher d'une église ?* Et pourtant, bien installé sur le siège 58 du septième wagon, Marcus se sent mal à l'aise. Habituellement, lorsqu'il observe *quelque chose du monde*, il n'a pas l'habitude de poser son regard à l'horizontale. Depuis le sommet de sa grue, c'est en contrebas qu'il scrute. Au sol, toute petite, la vie s'ébat. Il n'y a, sous ses pieds, ni chaos ni excitation, la plupart du temps, rien ne se passe, seul un mouvement perpétuel, allant et venant. Ça ressemble au train-train des vagues par temps calme, de minuscules entrechats, une multitude de pas prompts ou las sur le macadam, il devine les cailloux crisser sous les semelles dures, et glisser sous les plus molles. Ou les feuilles des arbres soulevées d'un trottoir à l'autre par la brise inconstante. Les mots échangés cinquante mètres plus bas, qu'il n'entend pas mais dont il perçoit, parfois, un accent, une voix poussée plus haut, un cri.

Il apprécie particulièrement les chantiers comme celui-ci, implantés en pleine ville. Il lui semble qu'ils agissent comme une médication à son enfance passée à la campagne, dans l'arrière-pays méditerranéen, une succession infinie de jours d'où lui reste le souvenir déplaisant d'une inactivité féroce, où la lassitude et le désœuvrement souverains pesaient sur ses épaules de gamin comme le poids de l'acier brut.

Son père était au chômage, il l'est resté toute sa vie. *J'ai bossé à ne rien foutre*, disait-il avec une pointe de fierté. Catherine, sa mère, était au foyer. Ce qui, avec un mari inactif, rendait la fonction étrangement absurde. Un jour, elle avait pourtant émis l'idée de travailler. Bernard l'avait mal pris, et, peu à peu, l'hypothèse s'étant muée en idée fixe, sa femme avait fini par le menacer de partir. Tout simplement. Mais l'homme avait feint de ne pas s'en soucier et un soir de novembre, après avoir accepté une offre d'emploi en Alsace, Cathy avait fourré dans son coffre dix-sept années pleines, en poussant bien fort, pour que tout puisse rentrer.

Puis elle avait embrassé son fils de onze ans et pris la route du Nord-Est.

— Elle est tombée amoureuse d'un autre, que veux-tu que je te dise ? soupira son père au début.

En dégoupillant une canette de bière, il précisa :

— Paraît que je manque d'ambition.

Puis il s'était affalé dans le canapé du salon en ajoutant :

— Tu vas voir, on va être bien tous les deux.

Et l'affirmation se solda par un long silence que Marcus n'osa pas contredire.

— Je suis tombée amoureuse d'un autre, que veux-tu que je te dise ?

Sa mère elle-même ne s'embarrassait pas d'un discours contraire.

— Ton père n'a jamais eu la moindre ambition, à la longue ça use.

Ensuite elle s'excusa de *devoir* déménager, précisa qu'ils se verraient *très souvent*, un week-end sur trois en réalité. Le départ de sa mère plongea Marcus dans une enfonçure de perplexité. Il n'avait jamais rien compris au couple de ses parents, cela sonna donc à la fois comme le prolongement de l'absurdité familiale mais aussi comme l'expression d'une piqûre acide, un chagrin très profond en lui dont il ne fut jamais capable, par la suite, d'extraire les restants. Mais pour ne pas ajouter à l'apathie paternelle le désaveu, il se priva de toute opposition.

Délaissé par Cathy, Marcus investit la place laissée vacante, à la droite de son père, de pas grand-chose et de pas grand monde.

De la vie d'*après*, Marcus se souvient bien. Il n'y avait aucun horaire, pas de *moments pour*, son père se réveillait après 10 heures, le plus souvent, faisait la sieste au gré de ses envies, sortait quand il voulait. Il ne subissait aucune contrainte, pas de stress ou si peu, l'argent touché du chômage et la maison héritée du grand-père suffisant largement à son apathie quotidienne âprement recherchée. *J'ai grandi nivelé par le bas*, confia Marcus à Yann, son nouveau collègue sur le chantier de Kerlé, un soir de biture où la vérité, cruelle à digérer, finit régurgitée au pied du bar, mêlée à d'odorants sucs alcoolisés. Les parents de ses copains, eux, travaillaient presque tous ; aux repas du soir, chacun rapatriait ses exploits ou ses misères journalières, l'échange d'idées prenait parfois tournure de débat, les aspirations des uns et des autres mises à l'épreuve du jugement familial. Chez Marcus, rien de ce genre ne frôlait même la réalité de son quotidien. Bernard manquait d'ambition et les petites amies qui défilaient l'approuvaient quoi qu'il eût décidé de sa vie, par pur automatisme. On aurait dit qu'elles avaient été élevées pour acquiescer. Il s'en vantait :

– J'ai choisi une bonne soldate.

Ce à quoi, bien sûr, d'une singerie militaire, elle souscrivait.

Étrangement, même les paysages de campagne à proximité de la maison familiale semblaient fainéants, eux aussi ; la cambrousse flemmarde à outrance, plongée dans une léthargie typiquement rurale. Par la fenêtre un lièvre de temps à autre, le roucoulement d'un ramier et le moteur, rare, de la Vespa du facteur.

Et puis au loin, la Méditerranée rédemptrice, qui sauva Marcus d'une chaîne de doutes et d'ennuis. Il enfourchait son vélo tous les samedis matin, parcourait la douzaine de kilomètres jusqu'au rivage, des sandwiches mous enfouis dans son sac en toile, il passait son temps couché sur le sable, à scruter avec ravissement le ciel. Il comptait les nuées vaporeuses et blanchâtres qui pâlissaient l'azur et entraînaient avec elles des formes en tous genres dont il faisait des dessins.

Ainsi, des jours entiers, Marcus se laissait prendre par ce qu'il décryptait de ces voûtes célestes, et lassé de rêver le nez en l'air il se redressait et, bien assis sur le sable, scrutait, dans une infinitude strictement opposée, par-dessus l'eau, l'horizon. Il fallait bien l'extrémité des choses pour oublier l'absence de sa mère et l'inertie paternelle, le néant qui année après année avait envahi les espaces, les avait colonisés, entraînant avec lui l'immobilisme.

Mais au fond, ce qui affligeait Marcus par-dessus tout, c'était la désinvolture avec laquelle son père envisageait sa vie ronflante. Ça le faisait marrer, ce choix de ne rien foutre, comme un défi aux existences des autres, agitées et nerveuses. Sous certains aspects, le comportement de Bernard aurait pu passer pour une forme de philosophie – cette faculté de se défaire de tout, ça a quelque chose d'admirable –, mais la réalité était que la seule motivation au règne de la passivité toute-puissante, c'était la paresse. Ce à quoi Marcus ne pouvait se résoudre.

À l'école, par opposition forcément, il travaillait comme un damné, rapportait des bulletins brillants, que Bernard ne considérait même pas.

– Si tu veux faire carrière, mon pauvre, c'est ton problème, lui sifflait-il, souvent encouragé par un vieil ami gorgé de pastis que tout cela faisait rire.

Un soir du mois de mai, Marcus avait dix-sept ans, le mari de sa mère appela pour annoncer par des mots strangulés le décès de sa femme, *renversée par un camion, au coin de la rue et...* Marcus prit alors la décision, sous le poids d'une tristesse désordonnée, de chercher refuge ailleurs.

À dix-huit ans, le bac en poche, Marcus prit la route de Paris. Pendant trois ans, il avait accumulé un pécule estimable à force de s'user à d'innombrables petits boulots. Chaque jour de vacances y passait. Il s'offrit une formation d'ouvrier de chantier et rapidement se spécialisa. Par nécessité viscérale de changer enfin de perspective, Marcus Bogat devint grutier.

De loin, Line la voit arriver. Elle marche vite, le pas incertain, claudiquant presque, la nuque enlisée dans les épaules et ses mains enfoncées dans ses poches.

— Tu lui as pas dit qu'elle était en congé ? demande Line à Flanagan, son coloriste aux origines irlandaises, qui hausse les épaules, vaguement exaspéré à l'idée qu'elle puisse douter de sa constance.

— Ben si, je lui ai dit, forcément que je lui ai dit, tu m'as demandé de lui dire, je lui dis.

Line l'observe avec une compassion contrariée.

— C'est gentil, Flan, mais apparemment, elle a pas compris...

Anka passe alors devant eux, les saluant à peine, trois mots maugréés pour endiguer d'emblée toute future contestation.

— Qu'est-ce que tu fais là ?

Line la poursuit en sautillant ; ses orbites oculaires ont viré globulaires, on dirait un carlin à l'affût.

— À ton avis ?

— Anka, on s'est organisés sans toi, tout va bien, tu peux rentrer.

Elle n'a ni entendu ni écouté, plus rien de toute façon ne lui parvient depuis quatre jours, elle procède sans la pensée, et paradoxalement se sent temporairement exonérée de toute émotion supplémentaire, comme si le chagrin étiré tel un élastique occupait tout l'espace.

Anka se retourne vers Line, du bout de l'index lui signifie *chut* et disparaît dans la remise à l'arrière du salon pour endosser son uniforme : une blouse fuchsia et des sabots en caoutchouc.

Ce matin, la première cliente qui se présente à elle n'a pas pris rendez-vous. *Soixante-trois ans, cheveux mi-longs raides et châtains, racines grasses, pointes sèches, fibre déshydratée,* son scanner interne lui chuinte des informations qu'avec l'habitude elle sait parfaitement fiables.

Puis la cliente présente à Anka une photo de Claudia Schiffer qu'elle place au plus près sous ses yeux. Depuis la page fatiguée du magazine, l'ultra-célèbre minois juvénile bardé d'une chevelure d'ange impressionne.

— J'aimerais la même chose, lâche la dame.

Dans la foulée, Anka étudie la photo de l'Allemande, puis revient à sa cliente, qu'elle fixe attentivement. Line, par-derrière, subit de son corps en pleine ménopause des poussées d'angoisse mêlée de pointes de chaleur sauvages. Elle transpire sous les seins et retient son souffle.

Anka attrape la masse filandreuse de la femme, manipule sa chevelure du bout des doigts pour en évaluer l'exacte nature.

— Je suis désolée, ça n'ira pas, finit-elle par conclure.

— Pourquoi ?

La cliente proteste d'une voix qui s'échappe dans les aigus, marquant la naissance d'une contrariété.

— Vous avez le cheveu sec et déshydraté, si on décolore par-dessus ça va casser.

La femme fixe Anka en levant les yeux au ciel.

— À quoi ça sert d'aller chez le coiffeur alors ?

— À vous déconseiller de bousiller ce qui vous reste de cheveux.

— Alors on coupe.

— Couper, ça je peux.

— Ou alors on dégrade.

— Possible aussi.

— Ou alors on fait comme Claudia, mais en plus court pour limiter les dégâts.

— Je déconseille. Vraiment.

— Ou alors on fait rien.

— Ça me va.

La cliente tourne en rond, s'échine dans un périmètre minuscule, secoue sa tête de droite à gauche, le regard rivé au plancher...

— Je dois changer un truc.

... qu'elle rehausse en direction d'Anka :

— Je veux changer de vie.

— Je reste là, pas loin, réfléchissez.

Anka s'éloigne, soupire un peu, Line s'approche.

— Rentre chez toi, je gère la dame, va te reposer.

— Mais je suis pas fatiguée !

— Chérie, tu es en deuil et le chagrin, ça fatigue.

La cliente revient, agitée par une idée qu'elle a besoin d'exprimer vite et fort.

— J'ai réfléchi, je veux couper. Tout court même. Une coupe de mec. Changer de vie, ça commence par changer de tête, non ?

— Si.

Anka sourit, ça l'amuse de prendre en charge, pour une fois, un visage aux airs paradoxalement juvéniles et cette grosse mission qui va avec.

— Vous êtes sûre ?

Line tente de protester, mais Anka est déjà en place, positionnée derrière sa cliente, les ciseaux logés dans sa main droite et, comme au semi-repos le cow-boy tient son pistolet, leur pointe affûtée est tendue vers le sol. Elle est à peu près sûre du désastre final, la femme n'a pas la physionomie d'une coupe courte. C'est une certitude, elle est déjà vilaine avec les cheveux longs, le visage distendu et boursouflé, alors rogner sur cette crinière châtain qui gagnait à la dissimuler un peu, c'est un sacré suicide esthétique. Peu importe, elle entame allègrement son affaire, s'y prend avec la détermination d'une exploratrice, attaque la masse par endroits, débarrasse la cliente d'une partie d'elle-même, et plus elle coupe, mieux elle se sent. Elle a le sentiment qu'enlever à l'autre, peu importe qui, la soulage. Elle qui a tant perdu.

Ensuite, c'est au tour de la cliente de s'observer un long moment dans le miroir, constatant les dimensions nouvelles de ses mèches, révélant un équilibre dans ses traits qu'elle ne soupçonnait pas.

– Oh putain.

Plusieurs fois, elle passe ses doigts dans ce qui lui reste de chevelure, agrégat largement échancré qu'elle chiffonne au doigt comme on pétrit de la terre.

– Je ne suis pas belle.

Puis se retourne vers Anka, le visage illuminé qui contraste avec ses mots et se regarde à nouveau :

– Mais là, si. Là, je suis belle.

– Je sais, précise Anka. Je sais.

De la même manière qu'elle lui signifierait *Je vais danser*, la cliente annonce :

– Je vais pleurer.

Et Anka, bondissant joyeuse, se précipite :

– Venez.

L'entraîne dans la cuisine à l'arrière du salon.

– Vous serez plus tranquille.

Elle l'assoit sur une chaise, lui offre un bouquet de mouchoirs, applique sur son épaule une paume chaleureuse :

– Allez-y, pleurez madame, pleurez.

Tandis que l'autre hoquette son bonheur et expulse sa joie en une coulée jaunie de morve, Line, postée dans l'embrasure de la porte, observe la scène le front plissé, du jamais vu, pas une fois elle n'a été le témoin d'une telle situation ; on ne preste pas sur une cliente comme une cosaque, et l'accompagner juste après dans l'arrière-boutique... Elle sait bien qu'on est passé à côté du désastre, que le succès d'Anka relève plus du hasard que de la maîtrise et qu'elle n'a pas, non plus, pris la mesure de son acte, alors elle saisit Anka par le bras, l'attire un peu plus loin, lui fourre ses deux mains de part et d'autre du visage.

— Tu fais quoi là ? C'est une cliente, pas une poupée ! Tu as perdu ton père il y a trois jours, Anka. C'est grave, ma chérie. Tu sais ça, que c'est grave ?

Le regard de la jeune coiffeuse demeure immobile, coincé entre les fragiles menottes de sa marraine.

— Mais elle est heureuse, la cliente !

— Qu'est-ce que tu en sais ?

Line relâche soudain le visage d'Anka, qui s'empresse, comme une diversion, de s'adresser à nouveau à la cliente.

— Pleurez madame, pleurez, si ça vous fait du bien.

Et la cliente de lui répondre par une succession de reniflements sonores.

— La cliente adore, de quoi tu te plains ?

Line soupire, personne ne le remarque mais elle hausse un rien les épaules, elle veut bien faire, se sent injustement traitée, car il arrive que la hiérarchie des douleurs engendre un abus de pouvoir contre lequel elle se sent impuissante.

— Sors d'ici, va voir ta mère, elle a besoin de toi !

À présent Line parle plus fort, son ton est sec, le regard bien droit, elle congédie sa petite protégée.

— Je ne veux plus te voir avant une semaine !

Les filets remontés à bord, happés ensuite par des turbines cylindriques, dégagent le poisson, elle a assisté à la scène mille fois. Sa mission, excitante et pouilleuse à la fois, consiste à récupérer les bestioles et les jeter une à une dans un casier. Anka participe pour la première fois à ces captures en série, devancée par un marin confirmé ou le plus souvent apprenti, à peine plus âgé qu'elle, des mecs de la région, candidats à un BEP maritime, pile ce qu'elle envisage de faire plus tard. C'est d'une telle évidence qu'elle n'en a pas encore parlé à son père. Il fait froid ce samedi, par-dessus sa polaire, elle porte un ciré usé et des gants en caoutchouc, un bonnet tiré jusqu'aux oreilles. Son nez prend tout le reste : les rafales, le sel et la kyrielle de gouttes. Elle ne se plaint de rien. Encore et encore, son père lui demande :

– Ça va ?

Et, inlassablement, elle acquiesce, le suppliant d'arrêter, mais rien ne cesse, ni ses inquiétudes ni ses précautions. Par-dessus tout, elle méprise les interdictions, au seul motif que c'est dangereux. Anka, parfois, veut lui hurler qu'il est supposé savoir à quel point tout à bord flirte avec le danger, qu'en réalité il n'y a que ça, de l'aventureux, du périlleux, du redoutable, du mortel. *Oui tu m'entends bien, Vladimir, en bateau il arrive que les gens perdent la vie, crèvent, trépassent, clamsent, il y en a même qui meurent.*

Bien sûr, de tout cela elle ne dit rien. Son père est le chef, en lui elle doit avoir pleinement confiance, s'il se montre prudent avec elle, à l'excès parfois, c'est qu'il doit y avoir une raison, *Je n'ai que douze ans.*

Parfois pourtant, l'envie trop pressante, il arrive à Anka de se pendre à son cou, les deux mains se rejoignant à l'arrière de la nuque et les doigts se mêlant les uns aux autres pour créer plus de résistance. Alors, ainsi positionnée, elle embrasse son père d'une joue à l'autre et en même temps le supplie.

— Laisse-moi conduire un peu, rien qu'un tout petit peu.

— Je t'aime, donc c'est non et pour la cinquantième fois on ne dit pas « conduire », on dit « manœuvrer ».

Pour l'heure, Anka lâche l'encolure paternelle, mais jamais l'idée qu'un jour la barre lui reviendra.

25 février 2017

Marcus grimpe la centaine de marches de l'échelle en fer, combien précisément, il n'a jamais compté. Au sommet, il ouvre la porte du cockpit, enjambe la margelle, plié en deux pour pénétrer l'espace confiné et, selon une procédure maintes fois exercée, prend place sur son siège en cuir, manettes à gauche, manettes à droite. À côté de lui, posé sur le rebord, collé à la vitre, un sandwich jambon-fromage enroulé dans du papier de boucherie. Assis dans la cabine de sa Liebherr 280 EC-H, perché à cinquante et un mètres du sol gelé de cette place en pavés de porphyre, il contemple à la fois le chantier, à ce stade un vaste canyon béant, 1 500 mètres carrés de grès et de minerais charriés sous le béton qui couvre la ville tout entière, et l'étendue, plus en amont, du paysage doucement éveillé de ce mois de février. La fin d'après-midi tergiverse entre chien et loup, des lumières jetées un peu partout, longeant les routes, s'agrippant aux façades des maisons et aux enseignes des magasins rassemblés en grappes, lui jouent des partitions variables, les danses de ces milliers d'ampoules, contrariées par le souffle du vent. Son anémomètre affiche une vitesse de soixante-sept kilomètres-heure, les cupules du capteur tournent à plein régime, les rafales s'enroulent comme des serpents aux mâts en acier de sa grue à tour, pour autant le châssis ne bouge pas d'un iota.

Juste en dessous, l'ébauche du bâtiment en construction, squelettique encore, renvoie des ombres étranges, silhouettes rigides, les contours d'un ferraillage en vrac, massé là dans la pénombre. Marcus commence à les connaître par cœur. Trois semaines qu'il travaille sur ce chantier, assidu quotidiennement aux essais statiques et dynamiques pour que jamais la grue n'ait à subir les désagréments d'une utilisation bâclée ou trop rapidement balancée.

Deux baffles portatifs poussés à fond diffusent un jazz fougueux, Marcus en connaît de mémoire et par passion les titres, le nom du compositeur, *David Eskenazy, ma star*, et de l'album, *Longing for Gravity*, qu'il se plaît en toutes circonstances à garder pour lui. Égoïstement ou par indolence, avec un rien de prétention aussi, il a le sentiment que ses collègues de chantier ne méritent pas les honneurs de cette musique, trop complexe sans doute pour ces bourrus de terrain, pour lesquels il a par ailleurs le plus grand respect. Parfois, il essaie de transmettre sa passion pour le jazz à ces filles de passage qui se méfient à la fois de cet étrange swing et de son métier. La plupart de ses amoureuses ont fini négligées, Marcus se lassant de devoir répéter, encore et toujours, que non, il n'y avait pas d'images porno ou de filles à poil planquées dans sa cabine tout là-haut. Rares sont celles qui ont osé aller vérifier par elles-mêmes. Les autres ont eu le vertige bien avant d'atteindre le sommet.

Le père de Marcus regrette, lui, que son fils unique délaisse l'oisiveté familiale au profit d'un vrai métier du plus mauvais goût.

À part Yann, le chef de chantier avec qui il collabore pour d'évidentes obligations professionnelles et qu'il apprécie sincèrement, dans la région, Marcus ne connaît personne. Il a l'habitude, c'est même une systématique, l'énième version d'un schéma qu'il reproduit depuis des années.

La seule constante dont il bénéficie est sa grue, sa cabine arc-boutée en Plexiglas à qui il relate dans les menus détails sa tectonique intérieure. Il pose les mains de part et d'autre de son habitacle, les bras déployés à cent quatre-vingts degrés, et presse les parois avec ses paumes écartées comme si ces notes massées dans une composition d'une grâce inouïe lui offraient de faire voler en éclats le périmètre intérieur de ce refuge quasiment céleste.

Il est 16 h 57 ce mercredi, quand, au sol, sous lui, il aperçoit un groupement de lumières mobiles quitter l'église, il pense à des bestioles lumineuses agitées, une marche aux flambeaux peut-être. Dans le jour qui tombe jaillissent de petites boules de feu, une vingtaine à peu près, transportées par des corps inconnus. Marcus est intrigué, chausse ses jumelles et fixe longuement le troupeau lumineux. En point de mire, hommes et femmes, une quarantaine, portant à la main lanternes et bouquets de fleurs, une étrange procession qui progresse lentement en direction de la mer. Il imagine de tout là-haut une litanie portée par un chant triste, des mots psalmodiés sur une mélodie aussi paresseuse qu'un poème. Il se rappelle ces cortèges hindous bardés de couleurs et d'ornements qu'il a vus à la télé. À la jumelle, des profils moins exotiques, une idée de la Bretagne saine et robuste, des marins pour ouvrir la marche drapés dans leurs cirés poisseux, des jeunes et quelques femmes dont une, soutenue par des bras solidaires, jolie d'ailleurs, dont Marcus se demande qui elle peut bien être. Cernée par tous ces visages terreux et fouettée par le vent marin, empourprée sous les caresses d'un sel corrosif, elle est solaire. Il pense à une héroïne de Jane Austen. Il s'agit d'un enterrement, ça y ressemble en tout point, mais ces gens-là procèdent sans cercueil, sans curé ou tenue sombre. Le groupe, disloqué peu à peu au fil de la marche vers la plage, évolue à pas posés. Quelques badauds immobiles et spectateurs laissent passer ce peloton des affligés.

Parvenu à la plage, le groupe se rassemble à nouveau. De son cagibi d'altitude, Marcus les observe attentivement. La jolie femme se trouve seule face à la mer, le reste des accompagnants positionnés en demi-lune juste derrière. Le grutier ne voit pas son visage, elle lui tourne le dos. Ses cheveux mi-longs battent la mesure de la brise. Certains lui adressent des fleurs qu'elle rassemble en un bouquet, d'autres déposent devant elle, sur le sable léché par de gourmands embruns, des photophores, une dizaine, habités chacun d'une bougie épaisse.

La demoiselle s'avance de quelques mètres, ses jambes nues dans l'eau glacée jusqu'aux genoux, l'horizon béat devant elle avale peu à peu le soleil en fin de course ce mercredi.

D'un geste, elle projette les gerbes de mimosa et demeure un instant immobile à les regarder chalouper en surface.

Le spectacle est étrange. De toute sa puissance, la nuit se penche à présent sur le jour, lui fait de l'ombre, d'un coup il fait sombre, le golfe de Gascogne a viré grisâtre. Les flammes des bougies rescapées derrière leurs parois de verre brillent au loin comme des veilleuses.

Marcus songe à sa chambre d'enfant, là-bas dans le Sud, à ce point de lumière rosée que sa mère fichait alors dans la prise au pied de son lit.

— Bonsoir, mon chéri, murmurait-elle ensuite, juste avant de fermer la porte.

Au sol, la cérémonie déploie ses dernières intonations sectaires, les uns et les autres se tiennent la main et entourent le dispositif lumineux posé au sol, Marcus devine un chant se mêler au poudrin salant.

Il ignore précisément ce qui rassemble ces gens, devine un hommage à la mer où à l'une de ses victimes, une coutume peut-être, implorer les dieux des éléments marins pour protéger les artisans du coin, pêcheurs, chalutiers, transporteurs ; un folklore quelconque, la fête du Hareng, pourquoi pas. Il ne connaît rien à la Bretagne et dans ces circonstances, sa position moucharde depuis les hauteurs de sa machine l'agrée pleinement, ce qu'il scrute tout en bas lui semblant, par moments, bien mystérieux.

Anka a froid. Line la tient d'un bras ferme dont elle tente discrètement de se défaire.

Venir ici, organiser le rassemblement, à contrecœur, c'est sa manière d'accorder un peu d'espace à l'affliction des autres. Elle veut procéder en *professionnelle* et mener la marche selon ce que Line et les autres lui ont suggéré, avec une dignité à laquelle elle tient plus que tout, sans verser une larme, démontrant qu'être une bonne fille de marin, c'est prouver sa soumission au risque, depuis longtemps, depuis toujours. Qu'il ait été fauché par la mort, elle n'est pas étonnée, du moins, elle ne peut pas sembler l'être. C'est sa manière à elle de se réfugier dans une alternative au chagrin, comme si, d'une certaine manière, elle avait déjà fait son deuil, bien avant qu'il ne meure. Avec un navigateur pour père, a-t-on seulement le choix ?

Alors depuis la disparition de Vladimir, jour après jour, heure après heure, elle s'obstine à réprimer en elle la faille, cette fissure par laquelle surgiront, peut-être, le manque et la tristesse.

Elle ôte ses chaussures et ses chaussettes, roule l'ourlet de son pantalon jusqu'aux genoux, rassemble dans ses mains les tiges fleuries et pénètre dans l'eau glacée avec l'étrange sentiment d'être soudain prise aux chevilles, fermement maintenue par cette hydre liquoreuse, répandue à l'excès, violemment déversée. Un instant, Anka en a le souffle coupé, se trouver à la mer, à son tour, cette même masse qui éveille en elle une angoisse inédite. Elle se presse alors de reculer, le retour vers le rivage comme un refuge, la promesse d'un apaisement immédiat. Elle tourne la tête vers l'attroupement de ces visages amicaux qui tous la fixent alors qu'elle témoigne, les jambes plongées dans une eau glaciale, l'ultime respect au morutier.

Elle voudrait s'encourir, détaler de là et s'enfoncer au plus loin dans les terres. Mais bien sûr elle n'en fera rien, car depuis la disparition de Vladimir, Anka maîtrise tout, sa trouille tout autant que son dégoût subit de l'océan, des odeurs de varech et de la viscosité du sel dissous dans le liquide et ce n'est pas ici, à l'heure de l'hommage, qu'elle va flancher.

Elle avance d'un mètre encore, le niveau de l'eau flirtant à présent avec sa taille, son pantalon trempé, elle pousse les brins de fleurs devant elle, à la surface, les envoyant au plus loin et leur souffle de prendre le large. Ils reviendront pourtant à elle, dans un mois, dans un an ou dans cinquante, elle les devine obsédantes, les images floutées de son père, la hélant depuis d'obscurs fonds marins, lui intimant en tout temps le deuil inaccessible d'un corps à l'éternelle dérive.

De retour sur la plage, elle prend part aux chants dans un état semi-conscient, sa main coincée dans celle de Line, elle fixe le large, le hait, le défie, le conchie, l'Atlantique, son ami cher et ses cent mille moments de bonheur qui, d'un seul coup, et par la seule disparition d'un corps, devient l'ennemi contre lequel s'armer pour la guerre.

Elle constate la porte d'entrée entrouverte et s'inquiète brièvement.

— Maman ?

Édith est debout, plantée au centre du salon, elle a ôté son manteau et l'a laissé tomber à ses pieds.

— Tu avais laissé la porte ouverte.

Son regard est rivé au sol, elle ne semble pas surprise, accorde une attention brève à sa fille et retourne fixer le tapis.

— Tu fais quoi ?

— J'attends quelqu'un.

Sa mère lui accorde un sourire malhabile puis rapidement se dirige vers sa chambre.

— Tu attends qui ?

Elle crie, jusqu'aux quartiers privés d'Édith, tout au bout du couloir.

Au bout d'un long moment sans réponse, Anka s'inquiète. Elle traverse le couloir jusqu'à la chambre à coucher, frappe à la porte et attend une réponse qui tarde à venir.

— Pourquoi tu n'es pas venue à l'hommage ?

Anka pénètre dans la vaste pièce et découvre avec surprise, allongée sur le grand lit, sa mère qui dort.

Elle demeure assise sur le bord du matelas, Édith posée là, à quelques centimètres d'elle, en chien de fusil, plongée dans un sommeil lourd, ses jambes découvertes par endroits exposant une peau luisante et marbrée, subitement sculptée par une vieillesse de plus en plus envahissante. Sur le dos de sa main, des micro taches brunes sont apparues et par-dessous, des veines bleutées gonflées comme des petits tuyaux tracent des chemins de traverse. Les cheveux gris de sa mère forment sur l'oreiller rose un brouillard de coton. Depuis longtemps elle ne les a plus caressés. Elle approche sa main et de sa paume frôle le duvet ouaté, velouté, d'une finesse inouïe, elle s'étonne de constater qu'avec les années la fibre capillaire gagne en douceur.

Plus tard, elle se replie dans le salon, en attendant qu'Édith se réveille, et s'endort à son tour.

À son réveil, sa mère est assise tout à côté d'elle, pianote sur son téléphone un long message qui semble laborieux pour ses doigts malhabiles, le regard rivé sur son écran. Ça ne lui ressemble pas.

— Tu écris à qui ?

— À Madeleine.

— Madeleine qui ?

— Ma cousine.

Il faut un moment à Anka, l'algorithme familial lui échappe depuis toujours.

— La bonne sœur ?!

Édith hoche plusieurs fois la tête, ce qui semble incongru à Anka, qui connaît le désintérêt lymphatique que sa mère entretient pour la religion.

— Mais pour quoi faire ?

— Je lui demande de prier pour que mon mari revienne.

Édith a toujours fait ça, ne parler du père d'Anka que comme de son conjoint, y compris lorsqu'elle s'adresse à sa fille. C'est ainsi depuis toujours, comme si Vladimir était destiné à posséder deux identités distinctes, celle d'époux et celle de père, les deux ne se rejoignant jamais. De la même manière, sa disparition a poussé presque naturellement sa femme et sa fille à adopter deux positions opposées. Leur désunion dans la souffrance est manifeste ; l'une pense à un retour possible, l'autre se détache si viscéralement de cette hypothèse que, parfois, elle ne peut s'empêcher d'en rire. À toutes deux, leur manque un front commun, celui de croire ensemble à la même version de la réalité. Il n'y a donc rien dans cette mort pour unir la mère et la fille. Édith considère tout bonnement que si sa fille choisit d'envisager la disparition de Vladimir comme un deuil irrévocable, il ne tient qu'à elle d'endosser la pleine gestion d'une telle finalité.

Pour Édith, en revanche, le fardeau est trop lourd. Ainsi, elle a choisi de remplacer le réel par un idéal, celui de l'éternité, qui ne contraint jamais, ni au chagrin ni à l'abandon, et dans lequel elle se sent capable de puiser la force de continuer.

Pour Anka, il convient surtout de ne pas souscrire aux croyances absurdes de sa mère, de s'y opposer même. Elle porte ainsi le deuil de son père comme un acte de résistance et de cela, elle retire une certaine fierté.

— Pourquoi tu fais pas ça toi-même ?
— Quoi donc ?
— Prier pour que ton mari revienne.
— Parce qu'avec moi ça marchera jamais. Je ne crois pas en Dieu, si je me mets à le prier, il va me prendre pour une opportuniste. Tandis que Madeleine, elle est plus crédible.

Anka pouffe. Édith aussi.

— Tu demandes à ta cousine de prier pour toi en un dieu auquel tu ne crois pas pour tenter de ramener papa, qui est mort !

Cette fois Édith ne rit plus.

— Garde tes certitudes, tu veux !

Elle dit ça sur un ton pincé, contrariée d'avoir été propulsée dans une dimension qu'elle rechigne à fréquenter.

— Je vais me promener sur la plage. Tu viens ?

49

Anka ne répond rien. Elle baisse la tête pour éviter les yeux clairs de sa mère. Comment lui dire qu'elle n'est désormais pas davantage en mesure d'affronter ceux de l'océan, ces millions de prunelles azurées, la matant comme autant de fantassins abrutis braqués sur elle par ordre du golfe de Gascogne de la narguer jusqu'à la soumission ? Le menton haut, elle adresse à sa mère une réponse à peine audible, marmonne une excuse de boulot et quitte le salon à reculons comme les serviteurs des Rois bien avant elle.

Pierric l'attend devant le hangar, les mains jointes sur sa parka boutonnée. Il est flic, mais on dirait un enfant de chœur. Anka le revoit aussitôt, vingt ans auparavant, dans cette même posture imposée par le curé de Kerlé, à l'époque où ils étaient chargés de présenter aux fidèles de petits paniers en osier. Depuis, elle ne croit plus en Dieu. Petite déjà, elle s'agaçait des dogmatismes. Elle voulait se défaire de la culpabilité imposée, de *la faute*, dont elle comprit très vite qu'il fallait s'absoudre. À tout cela, elle opposa un refus formel, déserta l'église, refusa d'enfiler la soutane blanche des petits pages le dimanche au service de 11 heures. Elle avait laissé tomber Pierric et les autres, au dam de sa mère, qui, par la suite, ne cessa de tenter son retour.

— Je m'en fous de Jésus, j'en ai pas besoin, j'ai la mer, arguait-elle.

En comparaison, Dieu lui-même lui semblait profane et à cela, Édith ignorait quoi répondre.

Son père, lui, s'en foutait.

Le commissaire lui offre sa joue, elle y pose un baiser sceptique puis le devance en direction du hangar.

— Ça va ? ose-t-il.

Hub marche quelques pas derrière elle. Comme Anka ne répond rien, il pense *Elle ne m'a pas entendu.*

De l'extrémité d'une télécommande il presse sur un bouton, les deux parties de la large porte métallique glissent et s'ouvrent largement sur une sombre béance, gueule ouverte et sépulcrale hébergeant les restes d'un monstre autrefois adoré.

Au fond se trouve le *Baïkonour*.

Anka s'arrête. Puis elle avance d'un pas et s'en approche comme d'un animal sauvage. Mue par un mélange d'émoi et de défiance, poussée dans le dos par l'appréhension et le chagrin, un ébranlement goinfre lui enserre le cou. Elle tente de déglutir, il faut bien évacuer cette adjonction de sentiments apeurés, mais rien ne vient, sa trachée semble paralysée, dardée par un venin de désolation, et s'affaisse. Elle tousse à plusieurs reprises.

– Ça va ? reprend le commissaire.

Le bateau flotte silencieux. Depuis l'eau, noire comme la nuit, se répand une odeur de fucus mêlé au sel marin et à l'humidité. Anka observe la machine de longues secondes, telle qu'elle se présente à elle, éternellement débarrassée de son père.

– Je peux monter ?

Hub acquiesce :

– On a terminé, il est à toi.

Elle se tourne vers lui, puis souffle :

– Merci.

Il opine légèrement. Une fois encore, il aurait voulu la prendre dans ses bras, lui apporter du réconfort, quelque chose, mais il n'ose pas. Il est capable de braquer un connard ou de lui faire une clé de bras, mais dire à Anka ces mots auxquels il pense le désarme.

– Tu peux nous laisser, s'il te plaît ?

Définitivement brisé dans son élan, il reste un instant muet puis balbutie, rien qui n'a de sens, et fait demi-tour vers la sortie.

Tandis que ses pas résonnent progressivement vers la lumière du jour, ceux d'Anka s'enfoncent encore un peu vers le fond du hangar où se trouve la proue du bateau, fuselé comme au premier jour, la robe en fibre intacte, « Baïkonour » frappé en grandes lettres marines sur la coque argentée qu'elle caresse en rebroussant chemin, tout le long, jusqu'au pont arrière, où le portique, dressé à la verticale, semble la défier.

Elle ôte ses chaussures et grimpe à bord. Anka ne voit pas grand-chose, la pénombre est partout, comme si la lumière, en deuil elle aussi, l'épousait pleinement.

À la place, ses mains explorent, tâtonnent. À bord, elle connaît la place de tout, ses yeux clos laissent aux sentiments, confus, la possibilité d'être. Au bout d'un moment, elle s'assoit sur le fauteuil de son père ; devant elle, le gouvernail et les appareils de mesure, la cabine qui contient encore, peut-être, des particules de Vladimir, un reste d'oxygène, des empreintes certainement, derniers vestiges d'un corps humain, celui-là même, qui, vingt-trois ans plus tôt, l'avait fabriquée. Elle pose ses mains sur la barre et la serre fort. D'un coup, son cœur s'affole sous ses côtes, il lui semble que ses yeux, même fermés, voient tout. L'abîme, le manquement, la débâcle. Et la reddition, obligatoire.

Et pour la première fois, elle pleure.

La plage est déserte, Anka se tient debout face à la mer, une cigarette en main que le vent fume pour elle. Elle fixe le large avec ses yeux de colère, faisant volontairement valoir sa haine à ces kilomètres de rien qui, face à elle, dodelinent en paix. L'horizon est presque immobile, infréquenté à cette heure du soir, pas un cargo pour venir lui grignoter sa ligne. Le gris obscur de la nuit se mêle aux sombres remous de la houle, presque opaques. Anka lui oppose son corps froid et tendu qui pleure à l'intérieur, par à-coups.

Elle a ravalé ses sanglots, ne laisse rien paraître, elle n'est pas venue pour flancher. Elle ne veut rien dévoiler à l'ennemi. Venir le saluer avec élégance et marquer ainsi sa chute, lui signifier qu'avoir avalé son père n'a rien d'une victoire, mais que, jamais, elle ne pardonnera.

Et pourtant, par le passé, elle a tant aimé cette présence, l'addition phénoménale de ces litres d'eau en mouvement perpétuel, pérorant à l'infini une puissance que personne, jamais, ne contestait.

La surface de l'océan danse comme une ballerine. Après toutes ces années, Anka est devenue, à force d'observation et de toute son attention, la spécialiste de ses chorégraphies. La mer, comme les artistes, a ses périodes : son talent et sa virtuosité se situent au point de convergence entre la puissance des flots et leur lyrisme ; l'un prenant le pas sur l'autre au fil des jours. Avant, il lui arrivait, c'était assez fréquent, de passer de longs moments assise face au colosse et dans cette position du lotus, les fesses moulées dans le sable humide, elle s'adressait à l'abîme comme on alpague un ami, lui parlait, attendait par endroits une réponse qu'elle était persuadée la plupart du temps de recevoir. Elle dénichait sans cesse, dans les infinies manifestations du flux aquatique de quoi tranquilliser ses tourments.

– Il faut que je te dise..., lui soufflait-elle.

Mais de l'extérieur on ne savait jamais très bien de quoi elle pouvait bien lui parler.

De cette amitié, elle ne se cachait pas. Anka assumait cette étonnante relation, elle en était même fière : qui d'autre pouvait prétendre être dans les petits papiers de l'Océan ?

Le dimanche de son anniversaire, Vladimir l'emmène à bord. Ils sont seuls, la mer est douce comme une étreinte, une crème d'écume se prolonge loin derrière eux et le soleil transpire à la verticale.

— Tiens, lâche-t-il soudain, désignant le gouvernail du bout de son majeur osseux.

— Tiens quoi ?

— Tu nous ramènes au port.

— Je quoi ?!

— Allez, il ajoute, au boulot !

Anka hésite, depuis le temps qu'elle attend ça. Quand d'autres à son âge rêvent d'un sac à main ou d'un premier baiser, elle désire par-dessus tout saisir l'engin et le mener où bon lui semble, au gré des bourrasques et des courants marins ; dominer ce que la nature concède à lui offrir en négociation. Elle se sent parfois venir d'ailleurs, appartenir à ce drôle d'espace niché quelques mètres tout juste sous la surface. D'autres jours, elle lui préfère les fonds marins, s'imaginant suçant la peau des rochers comme un ancistrus, mais elle ne l'avouera jamais à personne, comment peut-on sérieusement déclarer à quiconque *Je me sens poisson, ou crustacé* ?

Elle attrape la barre et l'émotion survient. Elle démarre le moteur, une larme déboule sur sa joue. Vladimir le sait, il fait à sa fille le plus beau des cadeaux.

Elle est encore à pleine vitesse, pique vers la côte et pointe légèrement à droite en direction du port. Elle connaît la région, les profondeurs très variables des fonds, les zones à éviter, maîtrise de mieux en mieux les courants, rien qu'à le regarder faire, à l'écouter aussi, lui et son équipe de marins. La musique de leur jargon est depuis longtemps acquise et ses yeux et ses oreilles sustentent grassement sa mémoire. Au début, Vladimir l'observe faire, puis il quitte la cabine et vient se positionner sur le pont avant. Depuis sa grande expérience, il anticipe ce qui peut l'être, sonde l'humeur de l'océan, flaire ses états d'âme. Il respire le vent en profondeur, c'est si rare qu'il ne soit pas aux commandes.

L'approche du port est délicate, Anka prie secrètement pour qu'il la laisse faire jusqu'au bout, qu'il n'intervienne pas, lui fasse confiance, ne prenne pas peur.

À chaque manœuvre entreprise avec succès, elle a l'impression qu'on lui injecte de la joie. Il s'agit d'une puissance intérieure qui prend racine puis pousse d'un coup, elle se sent alors envahie par la chaleur de son propre corps, elle ignorait qu'une telle sensation puisse exister.

Elle amarre en douceur au terme d'une succession d'actions engagées à la perfection, rien à redire, d'ailleurs, tout le long, Vladimir s'est tu.

— Joyeux anniversaire, Capitaine, finit-il par dire.

Il l'embrasse et ajoute :

— Ne dis rien à ta mère.

D'un mouvement minuscule, Anka recule, incrédule. Et puis la tristesse advient, l'assaille en cavalant, une horde de chagrin s'empare d'elle, car ainsi le cadeau est un secret, ainsi la confiance n'est que passagère, elle n'a duré que le temps de célébrer ses quinze ans, pour lui faire plaisir, comme on emmène un gamin à la foire. Pire encore, elle est transgressive.

Anka baisse la tête, des larmes, encore des larmes, mais d'une autre nature, grimpent à toute allure et explosent contre ses joues. Elle se retourne pour lui éviter ça, un capitaine qui pleure, ça n'a aucun sens, elle vient de parcourir quarante-huit *miles* à la barre d'un fileyeur-ligneur-caseyeur de onze mètres trente propulsé par sept cents chevaux à une vitesse maximale de vingt-neuf nœuds. Ce n'est pas rien.

Vladimir a-t-il perçu sa détresse ? Elle ne le saura jamais. Longtemps après, elle se demandera ce qui, ce jour-là, avait été le pire : constater pour la première fois et d'une manière aussi entière l'existence même du sentiment d'exultation, proche de la béatitude, ou déplorer à ce point que, juste après, le brisement survienne, comme si l'un n'allait pas sans l'autre, comme si la mer, au moment d'être offerte, lui était aussitôt retirée.

Chez Gabriel, bondé en ce soir de week-end, Flan lui a gardé une place au bar.

Autour, les têtes sont connues, la plupart ont grandi avec Anka, des gens du coin qui, les uns après les autres, visages fermés et regards tristes, viennent lui apporter leur soutien ou leurs condoléances, quels mots précisément pour évoquer le drame ? Il y a la bande des marins du port, collègues de son père pour la plupart et dont elle suivait à ses côtés les revendications, les désillusions, les exploits et les drames. Le courage surtout. Longtemps, elle fut la seule fille à traîner dans la zone. Son père avait tenté de l'en dissuader mille fois :

– Ce n'est pas un endroit pour une jeune femme.

Mais elle n'entendait rien, continuait ses rondes d'observation, ses petits coups de main à droite à gauche, décrochés à l'arrache le plus souvent. Elle finissait toujours par participer à la décharge d'une marée ou au tri de la marchandise, souvent elle montait à bord pour déterger le pont, sans autorisation, s'attelait à la tâche avec la précision d'un orfèvre, ne laissant d'autre choix au capitaine que de la sermonner et la féliciter à la fois. Pendant plus de dix ans, le port et l'arrière-port furent ses terrains de jeu favoris et les sorties en mer avec Vladimir l'ultime récompense.

Lorsqu'Anka eut dix-huit ans, une expérience maritime éprouvée mais toujours pas de diplôme, son père contesta à sa fille de transformer ce passe-temps en métier.

– C'est trop dangereux ! Fais coiffeuse et va bosser avec Line, elle ne demande que ça.

Anka avait soupiré mille fois, le plus fort possible, au creux de l'oreille paternelle, mais l'homme était inflexible. Elle fut reléguée à l'état d'amatrice, de passionnée de la mer. Elle avait trouvé très injuste cette mise à l'écart par principe, contesté infiniment le moindre argument avancé par ses parents ou, pire encore, par les mecs du port, tous marins, autorisés, eux, à prendre le large et qui ne cessaient de lui rabâcher que c'était *pour son bien.*

Au fil du temps, sa détermination avait faibli, consentant à une résignation contrainte et finalement détestée. Peu à peu, tout ce qui fut relié à cet univers qu'on ne cessait de lui refuser lui sembla perdre en saveur ; les copains du port, le respect pour le métier de marin, même ce courage qu'elle leur avait prêté lui parut d'un coup outrancier. L'audace, la vraie eût été de la laisser faire partie de leur monde. Au lieu de ça, ils s'étaient, chacun à leur manière, vieux marins comme jeunes apprentis, abrités lâchement derrière l'argument sécuritaire, comme si rien d'autre ne valait la peine d'être considéré. Et au fond, avec le recul, elle n'avait reconnu qu'à ses parents le bien-fondé de l'invoquer. Les autres n'avaient, selon elle, rien d'autre à faire valoir qu'une misogynie déguisée en bienveillance.

Ainsi, elle avait passé ses examens d'esthétisme coiffure, coché toutes les cases à choix multiples que proposait l'académie régionale – son score, plus qu'honorable, l'avait placée en tête du département –, avait décroché un diplôme avec les honneurs, ce qui réjouit ses parents le temps d'un été, et tout le monde reprit le cours usuel de son existence. Anka était devenue coiffeuse titulaire, travaillait à plein temps au salon de sa marraine et ne passait plus que quelques brèves heures par-ci par-là à bord du *Baïkonour*, quand son père consentait à l'y emmener. Le ravissement, réel, la cueillait toujours, mais il lui semblait, mois après mois, que cette relation avec la mer la frustrait plus qu'elle ne la comblait. Elle pensait rompre durablement avec cet être qui n'en était pas un mais qu'avec les années elle avait fini par considérer comme tel, loua un appartement en ville, se rendit de moins en moins sur le littoral, l'évita autant que possible. Cette violente démarche lui parut comme une obligation, un acte presque militant, une façon d'imposer enfin quelque chose d'elle-même à la toute-puissance de l'élément. Anka vivait l'effacement forcé de ses ardeurs pour la mer comme une césure profonde, trahison de son enfance et de ses souvenirs abondants, quelque chose qu'on pouvait qualifier d'irrémédiable. Et lorsqu'au matin du 17 février 2017 son père, parti deux jours plus tôt pêcher le mérou au large du golfe de Gascogne, ne revint pas, de l'intérieur, elle se sentit déchirée : le douloureux constat qu'ainsi, l'océan avait fini par tout lui prendre, scellant là, avec la mort de Vladimir Savidan, toute possibilité d'amendement ou de retour en arrière.

Flan est perché sur son tabouret, l'assise en velours effilochée par endroits, il a commandé deux verres de vin.

— Joyeux anniversaire !

Il roule les deux R et l'embrasse sur la joue.

Elle a vingt-trois ans.

Posé sur l'échelon métallique, un pied puis l'autre. Alternativement. À la vitesse pesante d'un corps qui se hisse. Il est 7 heures ce jeudi 10 mars. Peu de bruit à l'aube, seul le souffle court du grutier qui grimpe une à une les soixante-dix-huit marches de l'escalier menant à sa cabine.

Ce matin, il prend ses fonctions plus tôt que d'habitude. Il entame un *shift* de six heures minimum, perché à cinquante et un mètres au-dessus de la ville de Kerlé. Le pied de sa *bécane* est planté sur le bitume de la Grand-Place depuis trois mois qu'il travaille à construire un bâtiment de cinq étages. En faire un centre commercial au rez-de-chaussée, y adjoindre une bibliothèque-médiathèque ultra-contemporaine, un cinéma, un restaurant aussi, des appartements par-dessus, *la folie des grandeurs*, médisent les autochtones qui comprennent à peine d'où vient l'argent. La municipalité a beau les avoir longuement entretenus sur le projet, faisant état de fonds publics épargnés de manière exemplaire doublés d'une volonté d'insuffler à la ville un dynamisme renouvelé pour faire honneur à ses 90 000 estivants annuels. Peu importe, beaucoup n'ont pas manqué de caqueter sous le manteau.

Lui se fout bien des états d'âme des habitants, il n'est pas de la région. Grutier titulaire, il pilote depuis là-haut l'avancement progressif du chantier. L'entreprise de travaux publics qui l'emploie lui a loué un deux pièces au centre du bourg breton, pour une période estimée à un an et huit mois.

Cet océan-là n'a rien à voir avec ses vagues à lui. On ne peut décemment comparer la Grande Bleue de son enfance, élégante et tenue, avec le golfe de Gascogne, voyou foutraque et misanthrope, bardé d'impondérables et qui délaisse à la vue de tous, une fois retiré, les déchets de la mer, les odeurs et viscosités qui vont avec. Sur les plages, la Méditerranée demeure au poste, elle, au moins. Les premiers jours qui ont suivi son installation à Kerlé, il avait tenté, un rien désespéré par la température de l'eau et cette façon d'imposer des marées sans prévenir, la comparaison avec sa mer à lui, mais les discussions avaient tourné court, chacun crachant sans vergogne ses ignorances puis défendant avec autant de mauvaise foi assumée ses certitudes. Après ça, il avait cessé la moindre allusion, concédant, magnanime, à ceux qui le cherchaient encore sur le sujet, que chacun avait le droit de penser ce qu'il voulait. Bien sûr, c'était de la philosophie de chantier, mais il aimait ça, ce mélange d'aphorismes à cheval entre la connerie et le lien social. Ça faisait marrer tout le monde.

Atteindre sa cabine, plus ou moins essoufflé selon qu'il a bien dormi la veille, bu une bière ou fumé une clope, et mesurer ainsi sa disposition à travailler, ou non, dans les meilleures conditions, est un rituel auquel il se soumet avec une énergie mêlée d'excitation. Prendre place ensuite à son poste de commande, un gobelet de café posé sur l'accoudoir de droite et laisser la fumerolle du marc envahir l'espace. C'est presque une religion. Goûter ensuite à la première gorgée du liquide chaud en vénérant la vue toute-puissante, quotidiennement, quelle que soit la lumière ou le moment de la journée ; s'il a choisi ce métier, c'est pour les nuances du tableau, inépuisables. De son poste en altitude, il est gratifié d'un point d'observation poussé à son paroxysme. On lui dit souvent *les grutiers sont des asociaux, bourrus, farouches,* lui pense, au contraire, que la plus belle façon d'honorer l'espèce humaine, c'est de prendre le temps et le recul de l'observer. En quelques jours seulement, il est capable, posé au centre de la ville comme la cerise sur le gâteau, d'en extraire la dynamique. Depuis son perchoir, il prend le pouls de la communauté et distingue progressivement, comme le font les spécialistes d'une fourmilière, la petite musique du groupe. Il aperçoit des silhouettes, des visages ensuite, les escorte du regard, les perd au coin d'une rue et les retrouve cent mètres plus loin, s'amuse à les mémoriser, les affuble de surnoms, leur invente des vies dont il est capable, le plus souvent, de vérifier ensuite la véracité ou au contraire la totale absurdité. Souvent, d'une dégaine en marche, capturée à la stricte verticale, il discerne l'allégresse ou le désespoir. Des filatures visuelles de cet ordre, il en a exercé des centaines, ça lui plaît de scanner le foutoir des mortels agités sous ses semelles. Et du sommet de sa grue, il perçoit des tragédies. Par séquences. Le temps de l'observation. Certes, réduites, provinciales, à la mesure de la bourgade, des drames pas très grandiloquents, fades pour la plupart, un peu endimanchés même. En général, ça le fait rire et parfois, quand l'incident vire au drame, il appelle l'ambulance :

— Rue du Général-Lotz, trottoir de gauche, y a une dame qui a glissé.

Si bien qu'assez vite, en quelques semaines et deux, trois interventions du genre, les pompiers du coin en ont conclu à une sorte de partenariat tacite avec Marcus qui a accepté de leur filer un coup de main pour autant que le cadre de sa participation soit strictement établi :

— Je bosse, moi, les gars, je veux bien faire la sentinelle pendant les pauses, mais c'est tout.

Au bout de quelques semaines, il a appris le refrain du quartier, cerné ses énergies fondamentales, détecté rythmes et ambiances, il commence même à identifier l'un ou l'autre commerçant.

Et un jour il y a cette femme, à nouveau. Elle lui semble encore plus menue, ses semelles effleurent le pavé de la Grand-Place avec résistance, à la regarder traverser la vaste esplanade en traînant le pas, il pense qu'elle manque d'assurance et les brèves hésitations de sa démarche, qui affiche par ailleurs une allure remarquable, le remplissent d'un frémissement inédit. Des cheveux châtains caressent sa nuque tendue, elle ne porte pas de talons, des baskets blanches sous un pantalon noir, jour après jour. Aux confins de l'esplanade, toujours partiellement piétonnière malgré les travaux, elle pousse la porte d'un commerce à la devanture peinte à la chaux et teintée d'un fuchsia vif. En gris foncé, on peut lire « COIFFEUR LINE ».

Au début, il parvient à aménager des périodes d'observation courtes et structurées. La regarder fait partie d'une récréation bien méritée, la pause à des dizaines de coups de grue pilotés avec une concentration maximale, la moindre marge d'erreur étant habituellement dévouée à une succession considérable d'ennuis, plus ou moins affolants.

Mais rapidement, et malgré une organisation structurée pour profiter de ce spectacle, le grutier se sent saisi par des remous peu conformes à ses habitudes et dont, inconsciemment, il pressent qu'ils peuvent disconvenir aux règles sécuritaires de son métier.

Il a beau être en pleine manœuvre, toute sa concentration dévolue à maîtriser un ballant ou à déposer une charge, si, même du coin de l'œil, il discerne la fascinante silhouette, son aptitude au travail vire inéluctablement et de grand manitou virtuose il se mue bien malgré lui en tâcheron ordinaire.

Marcus a le sentiment de pénétrer un espace encore vierge, colonisé pas à pas, qu'il découvre avec l'émerveillement inquiet d'un enfant. Pas un jour il n'est capable de présupposer ce qu'observer cette femme aller et venir de son travail, tout simplement, peut lui apporter de sérénité ou au contraire d'affolement. Lui qui est un solitaire, ancré dans ses convictions, impropre à imaginer sa vie autrement dirigée que par ses envies et ses besoins propres, idéalement au plus près du ciel, tremble soudain d'une singulière fébrilité.

Ainsi, cette fille passant et repassant, les certitudes nombreuses qui constituent invariablement son socle cèdent peu à peu.

Pour la première fois, Marcus utilise ses jumelles pour la suivre, l'observer au plus près dans la quasi-intimité de ses gestes imperceptibles depuis les hauteurs de son poste. Il chausse son regard d'un second plus puissant encore et par le prisme grossissant de lentilles artificielles, il scrute pendant de longues minutes les traits d'un visage qu'il découvre, ses expressions à peine émergées, à fleur de derme et tout en retenue. Il a le sentiment qu'elle glisse sur le pavé comme le gerris sur la surface de l'eau, sans le moindre effort, presque par automatisme, un déplacement à la fois cinétique et miraculeux.

Le premier mois qui suit la mort de Vladimir, Édith n'a perdu ni son humour ni sa nature tenace. La trempe intacte, elle assure même ses responsabilités professionnelles avec une rigueur identique. Sa cheffe se confond en gêne à chacune des missions qu'elle lui confie, assurant qu'un éventuel retard ou une faiblesse dans le traitement d'un dossier seront bien entendu excusés – voire même souhaités – *étant donnée la situation.* D'une main lasse, Édith balaie ce genre de mièvrerie, comme si l'absence d'un mari empêchait de penser ou d'agir.

Le deuxième mois pourtant, elle cesse d'aller travailler. Et se remet aux fourneaux. Un dimanche après-midi, jour de marché, Édith, musardant entre les tulipes et les poireaux du maraîcher, attrape un bouquet de persil, il fait chaud pour la saison, elle fourre son nez au cœur de la gerbe verte et molle, un rien fatiguée par la moiteur et par formalisme ou peut-être par envie seulement, elle demande au marchand une caisse, la plus grande, dans laquelle elle entasse une quantité astronomique de légumes, un de chaque et tous à la fois, agglutinés dans ce contenant hasardeux, elle les embarque chez elle. On dirait une gamine exaltée.

Sa cheffe appelle plusieurs fois. Sans réponse, elle se rend chez Édith, qu'elle trouve dans sa cuisine, proprement vêtue d'un tablier. La vue de sa patronne ne soulève aucune émotion, elle l'invite poliment à accepter un café, puis reprend, en silence, la préparation de ses légumes.

— Comment ça va ? tente la responsable.

— Il paraît que je suis veuve.

Édith prononce la phrase sans émotion, se saisit d'une cuillère en bois qu'elle promène dans sa casserole et poursuit :

— J'entends ça quand je me promène en ville ou au marché. Ça arrive discrètement par-derrière et ça vient se coller à moi, comme un nuage humide.

La cheffe est embarrassée, elle n'est pas venue pour ça, elle s'occupe de gérer l'administratif d'une entreprise, se trouver ainsi confrontée aux surprenantes angoisses de son employée lui semble éloigné de ses capacités.

— Je comprends.

Édith décroche un sourire puis secoue la tête.

— Tu ne comprends rien, lui flanque-t-elle. Et c'est normal.

La cheffe acquiesce, penaude. Elle a raison, qu'y a-t-il à assimiler ou à admettre ? La situation, délirante, n'est le fait de personne d'autre dans cette ville. Qui, à part Édith et sa fille, au fond, peut bien comprendre cela ? Une poignée d'abandonnés comme elle, lâchés après la mort d'un conjoint ou d'un père et à qui l'on refuse, au comble du drame, le strict minimum : la réalité.

— Tu veux quoi ? poursuit Édith.

— Mettre ton dossier en ordre.

— Parfait ! Mettons de l'ordre, ça manque un peu en ce moment, plaisante-t-elle. Je signe où ?

La cheffe lui tend un document et de quoi le signer.

— Un congé maladie, précise-t-elle. Je t'envoie le médecin cette semaine.

Édith approuve, gribouille un paraphe au bas de la page puis elle ajoute du sel au contenu qui mijote sur le feu en chuchotant des bulles.

— Je suis désolée de ce qui t'arrive, Édith.

La cheffe murmure cette marque de soutien dont elle sait bien qu'elle n'a le pouvoir de rien, qu'elle n'initiera pas même le commencement d'un réconfort. Bien sûr les mots manquants sont abyssaux, en existe-t-il seulement pour exprimer à quelqu'un que l'on regrette que son mari disparu ne soit probablement jamais retrouvé et qu'il faudra donc, par survie, effectuer un deuil impossible. La cheffe récupère le formulaire, elle embrasse Édith sur la tempe, comme à une gamine, et s'en va. Dans la cuisine, on pourrait confondre le stylo blanc posé à même le plan de travail avec les asperges qu'elle s'échine à couper et à effilocher proprement. Plus tard, la veuve versera la soupe du jour dans une dizaine de Thermos qu'elle ira apporter aux marins du port. Et jour après jour, Édith espère qu'en écho aux habitudes passées une poignée de légumes cuits et mixés ramèneront un jour Vladimir.

Depuis le hall d'entrée, elle entend la porte se fermer. La cheffe partie, Édith se remet au travail et déclare pour elle-même :

— Je me comporterai en veuve quand je l'aurai vu mort, d'ici là je suis encore sa femme !

Tous les matins, Marcus dégaine ses binocles à 7 h 55 dans l'attente de l'apercevoir, la suit à bout de lentilles pendant les cinq minutes que dure la traversée de la place, jusqu'à ce qu'elle pénètre dans le salon et disparaisse. Et chaque fois, le spectacle est inexplicable, singulier, par ce qu'il y voit et par ce qu'il y devine. Rien chez cette femme ne parle à sa mémoire, tout est vierge d'émotions. Il traduit ces images qu'il observe, avec son ventre et les battements de son cœur qui accélèrent ou décélèrent lorsqu'en bas, il lui arrive de tourner la tête ou de faire un pas de côté. Marcus a le sentiment d'avoir sous les yeux la fragilité même, prête à exploser en mille morceaux à la moindre rafale. À cette altitude, quand il s'y met, le vent emporte tout, y compris les songes d'une histoire qui hésite encore entre fiction et réalité.

Vers 13 heures, parfois, elle surgit à nouveau. Le grutier se précipite alors pour lorgner sur l'inconnue dont il tente de percevoir à travers l'apparente banalité les secrets les plus enfouis. Les traits droits de son visage, logés sous des sourcils épais, les os des joues saillants et délicats, le front ample, de menues oreilles couvertes de fins cheveux tombant par-dessus, le nez d'aplomb et loyal. Ni la couleur ni la forme des yeux ne sont décelables depuis sa position. Il la scrute à travers le verre épais de sa longue-vue et croit entendre sa voix, des mots prononcés avec assurance, il imagine ses phrases comme une partition harmonieuse, et pourtant à la toiser encore et encore, quelque chose, dans le balancement de son corps au rythme des pas franchis, traduit le brisement. Assis tout là-haut, ses jumelles sur ses genoux, il est au bord du rire, fasciné de s'observer lui-même devenir progressivement un autre, camé à la présence d'une petite bonne femme au profil assuré qui va et vient sous sa grue. Et pourtant, il continue à la scruter dès qu'il peut, il imagine quoi lui dire s'il la rencontrait, devine le son de sa voix et le parfum de ses gestes, rêve sa famille et le reste de sa vie. Des semaines durant, Marcus demeure ainsi fidèle au poste de cette Absurdie. Puis un jeudi du mois de mars, à la fin d'un *shift*, le pied posé à terre, il prend la décision d'aller voir de plus près, malgré le peu d'encouragement qu'il s'accorde à lui-même. *Mon pauvre vieux, t'es complètement cinglé.*

Il soupire. Jamais il n'a délibérément dragué la moindre femme. Celles qui ont fini dans son lit l'ont été par hasard, encouragées par l'heure tardive, ou l'excès d'alcool, souvent les deux.

À la réflexion, planté sur ce trottoir, Marcus songe qu'il n'est pas homme à choisir une femme, elles sont venues à lui, son physique aidant, sa profession fascinant.

Le jour où il a annoncé, pas peu fier, qu'il venait de décrocher un diplôme de grutier, outre son exaspération d'avoir à gérer un fils déterminé, peut-être même ambitieux, son père avait lâché :

— Si tu fais ça pour draguer les filles, c'est pas mal trouvé, pour le reste tu sais ce que j'en pense.

Contrairement aux apparences, Bernie n'agissait pas seulement par fainéantise. Il existait en réalité, derrière son impériale nonchalance à brasser le quotidien, une théorie, presque philosophie, dont les préceptes, à peu près aiguisés, tenaient lieu de résistance.

Il avait toujours pensé qu'à trop savoir, l'être humain se ruinait en certitudes, l'oisiveté demeurant ainsi le dernier rempart à certaines dogmatiques et condescendantes certitudes existentielles.

Si Bernard demeurait au chômage, c'était en quelque sorte par respect pour autrui, allant jusqu'à prôner sa posture comme un art de vivre auquel tout le monde devrait réfléchir à se soumettre.

— Ça éviterait les guerres, j'te le dis, moi, les gens ont beaucoup trop d'avis.

Ainsi, il jacassait en boucle à quel point la fainéantise était indiscutablement le garant de la paix sur Terre et qu'il était temps qu'*ils* s'en rendent compte.

Ajoutant à peu près systématiquement :

— Attention, ne rien foutre ne signifie pas être con. Faut pas confondre !

Raisonnement qui exprimait là, pourtant, ses magistrales limites. Car au-delà de ce que ce vide professionnel abyssal lui imposait, à terme, de manquements, il avait surtout omis la partie fondamentale de lui-même : être père.

Franchir le seuil du salon de coiffure lui semble téméraire, Marcus décide finalement de passer devant à la hâte, et jette un bref regard à l'intérieur.

En vrac, s'offre à lui le décor attendu des bacs à shampoing précédés de fauteuils en similicuir où quelques clients, la nuque jetée en arrière, à cheval entre le dossier et le lavabo, patientent bravement.

Il ne la reconnaît pas tout de suite, laisse la vitrine s'échapper derrière lui, fait encore quelques pas et s'arrête net.

Elle est là. Debout, penchée sur un cuir chevelu échoué dans l'évier de droite. À le masser tranquillement. La vision de la silhouette menue, procédant avec délicatesse, lui revient avec une précision troublante. Elle a la gestuelle gracile, une façon de tout exécuter du bout de ses doigts déliés et par-dessus, sa nuque élancée, quasi aérienne, porte la grâce comme un trophée. Il l'observe à travers la vitrine un long moment, littéralement hypnotisé par le spectacle, vision féerique face à laquelle il se sent à la fois surpuissant et minuscule, reconnaît alors quelque chose de sa mère dans la façon dont elle se tient parfaitement droite, les épaules tirées en arrière, il se souvient de l'élégance de Cathy, unique, qui renaît juste là, à quelques mètres, sous les traits d'une autre, qu'il ne cesse de vouloir. Un bref instant, il se sent le seul et miraculeux témoin de ce tableau.

Il faut l'intervention de Flan, le coloriste, qui trouve le gaillard suspicieux et vient frapper lourdement à la vitre pour l'extraire de son égarement. Marcus reprend conscience, ses joues s'empourprent d'un coup, la situation lui semble très gênante, il s'en va aussi vite que possible.

Le temps de sa pause largement dépassé, il n'a pourtant aucun regret. À son retour au pied de l'engin, Yann s'inquiète.

– On t'attend depuis vingt minutes, qu'est-ce que tu fous ?

Marcus passe devant lui sans prendre la peine de répondre, qu'y a-t-il donc à expliquer, pour dire quoi ?

Les jours suivants, depuis sa grue, lorsqu'elle passe sous lui, à 8 heures, il l'observe d'un regard neuf. À présent, il imagine avec précision ses journées dans son salon, la façon dont elle s'adresse à ses clients, ses gestes de praticienne, le cérémonial du métier, les rapports entre collègues.

Il est alors frappé d'un constat, un sentiment proche de l'intuition, qui confère certes à l'observation mais aussi et surtout à l'inexorabilité : cette femme est devenue une idée fixe. Depuis dix ans qu'il pilote des machines comme la sienne, il contrôle, avec une préoccupation proche de la manie, le balancement de sa charge, vérifie inlassablement son aplomb, identifie systématiquement que l'élingage soit correctement effectué tout en maintenant avec le sol une correspondance étroite et continue, l'indispensable condition pour préserver la sécurité de tous les intervenants sur le chantier.

Mais pour la première fois cette nuit-là il s'endort en pensant ardemment à la coiffeuse, le contour d'un corps qu'il identifie à présent parfaitement, un profil parmi tant d'autres devenu *quelqu'un*, une incarnation dont lui seul perçoit jusqu'à l'ensorcellement et pas une fois il ne rêve au décor d'acier et de métal, la ville en arrière-plan et le ciel par-dessus, qui constitue chez lui et depuis une large décennie une autre obsession.

Dès le lendemain, il s'éveille la curiosité tenaillée au ventre, il crève d'en savoir plus.

D'elle, il désire à présent l'intime, entrevoir le lit dans lequel · tous les soirs elle se couche, observer la façon dont elle enfile un tee-shirt, tourne les pages d'un magazine, brosse ses cheveux châtains. Il imagine ensuite son odeur, l'effluve d'une lessive ancrée dans les mailles d'un vêtement, le souffle chaud de sa bouche, chantant parfois. La grâce d'une cheville au-dessus du sol, la position de sa main sur l'oreiller. Deux paupières vultueuses au petit matin. Un dernier sourire pour la fin du jour.

À 18 heures ce jeudi 2 avril 2017, Anka quitte le salon, délaisse sa journée de travail, pressée de rentrer chez elle. Le jour a baissé, il fait sombre à présent, elle a fourré des écouteurs dans ses menues oreilles. Marcus le remarque, même depuis son poste d'observation à cinquante mètres, des lobes quasi inexistants, une langue de peau étroite, soulignant par en dessous le matériel auditif interne, il n'a jamais vu des pavillons aussi minuscules, il voudrait souffler dedans.

Elle passe sous sa grue. Cette fois, les pas sont toniques, ses épaules gambadent en cadence, elle court même un peu. Plus loin, la place se prolonge en six rues étroites. Elle emprunte la ruelle Trudaine, celle qui file à contresens de l'océan et remonte vers l'est, dans la partie des hauts immeubles qui débordent par-dessus les constructions plus anciennes. Plus loin, le lien visuel atteint ses limites, elle tourne à gauche et disparaît. Il pose ses jumelles et attend quelques minutes, l'œil rivé dans la même direction. Et il se met à prier. À sa manière, un dieu certes, mais sans savoir précisément lequel. Il adresse alors une adjuration très inspirée à celui dont on lui parle depuis toujours mais auquel il ne croit pas :

— Monsieur, délivrez-moi du doute et de l'ignorance et faites qu'une fenêtre, tout là-bas, s'allume, et que juste derrière, la demoiselle s'y trouve. Je vous transmettrai alors mes remerciements les plus sincères et distribuerai quelques bonnes actions à autrui.

Il rit de lui-même. Il attend, se tient immobile, il a froid, enfile un bonnet, des gants et reprend son poste d'observation. Au quatrième étage, la fenêtre à l'extrême droite du bâtiment central s'allume. Il sursaute, attrape de ses deux mains lainées ses grosses lunettes et fixe l'encadrement embrasé. Il y a là un intérieur décoré avec soin. Au sol un parquet clair se glisse entre des tapis colorés épars. On allume une seconde pièce, conjointe à la première, une chambre sûrement, apparaît le coin d'un lit recouvert d'un tissu moutarde. Des ombres se promènent en mouvement, il entrevoit une silhouette, décapsule un Coca, l'avale d'une traite et prie à nouveau mais en silence, car cette fois, il ne désire pas, lui-même, savoir ce qu'il implore à Dieu.

Une femme est assise sur son lit, face à la fenêtre, la tête penchée vers l'avant, elle défait les lacets de ses chaussures, des mèches brunes dégoulinent de part et d'autre de son crâne renversé. Étrangement, il reconnaît d'elle des parties de son corps qu'il ignore, l'arrière de sa nuque plongée vers le sol laisse apparaître le sillage très marqué de deux muscles parallèles qui courent et remontent comme deux petites fusées jusqu'à la lisière de sa chevelure.

Elle se relève, il découvre alors son visage plus distinctement que jamais auparavant et pour une raison qui lui semble surprenante et rassurante à la fois, verse une larme. Alors, il lève les yeux au ciel, plus haut encore que l'endroit où il se trouve et murmure dans un sourire un peu béat :

— Merci, monsieur. Ou madame.

À partir du 4 avril 2017, Marcus s'engage dans des négociations tatillonnes pour modifier son planning. Secrètement, il cherche à se caler sur les horaires de la coiffeuse, officiellement les raisons, plus nébuleuses, déplaisent à son chef de chantier.

— Je suis plus concentré tôt le matin ou en fin de journée, entre les deux, c'est compliqué.

Et tandis qu'il déblatère, le mec le scrute, un rien désœuvré. De Marcus, hormis sa réputation d'excellent professionnel, le meilleur sans doute, il ne sait pas grand-chose. Son parcours exemplaire impose le respect, de lui on rapporte son efficacité et sa discrétion et il sait bien que l'avoir sur son chantier est une chance. Mais les créneaux demandés disconviennent à son organisation, il faut revoir une partie du plan de travail, et pour tout dire, le désagrément l'emmerde. À plusieurs reprises, pour marquer sa contrariété, il soupire, mais Marcus n'en tient aucun compte, se fout complètement, et pour la première fois, de ce qu'il a considéré jusque-là avec une déférence quasi cléricale : le travail d'équipe.

Ainsi, au bout de trois jours, une feuille de service lui parvient, glissée sous la porte de son appartement. Il la découvre un sourire aux lèvres. Ce n'est pas seulement sa bouche qui prend la mesure de son bonheur en s'étirant de tout son long, c'est son corps en entier, chaque parcelle de son anatomie acculée à une joie indocile. Marcus décèle là le plaisir inédit d'organiser sa vie en fonction d'une existence extérieure, ça lui flanque l'impression d'être deux, l'illusion d'un couple, il pense *c'est ridicule*, mais son corps, pourtant, continue d'exulter.

Et chaque soir ensuite, pendant la semaine qui suit, il observe du bout de son intruse lorgnette les chorégraphies domestiques auxquelles Anka s'adonne, et s'endort tiraillé entre un puissant désir d'en avoir plus et la culpabilité d'être cet homme qui vole à cette femme dont il ignore le prénom des parties de vie.

Parfois, il se sent coupable d'impudeur, la suivre et tenter de pousser ainsi les portes d'un mystère est une chose peu commune.

– Tu es quoi ?

Yann a mal compris.

– Amoureux d'une inconnue, répète-t-il un peu gêné.

— C'est un fantasme.

Yann précise, se sent obligé d'insister sur la signification des mots.

— L'amour c'est précisément quand on connaît les gens.

Marcus acquiesce.

— Dans mon cas, c'est différent.

Au même moment, il se demande pourquoi il se laisse assujettir à pareil absurdité, traçant là les traits d'une histoire qui n'est constituée d'aucun enjeu et délaissée de tout partage, il a pourtant le sentiment sincère d'être amoureux, ce qui l'interroge au plus haut point, écartelé entre tâtonner avec le concept ou y plonger carrément, se foutant totalement des commodités réglementaires.

— Mais dis-le, Yann! Dis que je suis fou!

L'obsession de sa mère pour les potages finit par inquiéter Anka, qui prend rendez-vous avec le médecin.

— Elle n'est pas folle du tout, lui certifie-t-elle en signant le papier. Elle est dans le déni. C'est une réaction comme une autre. Ça passera.

Anka l'observe la tête penchée, le doute à fleur de lèvres.

— En gros, elle somatise...

— Oui. Par la soupe.

Anka lève les yeux au ciel, tout ça lui paraît absurde, elle préférerait une mère normale, qui pleure pendant des heures et ne quitte plus son lit, la perspective d'une vie sans son mari impossible à envisager.

— Réjouissez-vous, c'est toujours mieux qu'un cancer, lui lance le docteur.

Et Anka s'en va, à peine rassurée.

Au salon, les semaines qui suivent la mort de Vladimir s'enfilent mollement comme des perles en bois sur un gros fil de coton, à former bientôt un collier dont Anka a le sentiment qu'il est fixé autour de son cou, l'épaisseur du cordon enflant peu à peu. Elle tente parfois de l'ôter, mais le tissu ballonne plus encore et bientôt elle manque d'air. Alors elle étouffe à sa manière, elle quitte le salon quelques heures, elle marche vers le nord, le dos à la mer, refusant d'y chercher du réconfort. Elle galope jusqu'aux premiers champs à la sortie de la ville, puis elle revient, emplie d'un apaisement précaire, dont elle mesure de plus en plus les fragilités. Il lui semble que sa vie nouvelle, abandonnée par son père, est à fuir, tout en elle lui disconvient, à la fois les souvenirs marins, omniprésents, mais aussi le destin du *Baïkonour*, bagnard de l'obscurité d'un hangar, y flottant comme du bois mort jusqu'à sa vente prochaine. Entre les deux, elle a perdu l'accès au large. Et de cela, condamnée à terre, elle souffre éperdument.

À Line, elle raconte le minimum, périlleux de lui expliquer que depuis le naufrage elle questionne abondamment sa vie, impossible de lui avouer comme ce métier de coiffeuse lui renvoie à présent une sédentarité angoissante, de lui dire à quel point, sans plus aucune possibilité *d'être à la mer*, elle se sent encellulée, Bastille immuable aux murs bardés de détecteurs, et que c'est cela qui, plus encore que la mort de son père, l'entraîne parfois dans une cavité aux profondeurs ignorées.

À présent elle méprise le rivage, demeure en retrait de la mer, change ses itinéraires habituels, se réfugie au strict intérieur de la cité, elle réduit son périmètre et ne vient plus de ce côté du bourg que pour se rendre chez sa mère. Elle se sent raccourcie, l'existence amputée, le souffle court, et a pour la première fois le sentiment que le chemin quotidien de son appartement au salon de coiffure est bordé de loups qui hurlent à la mort ou à l'ennui ou à la terrifiante combinaison des deux.

— Je vais partir.

Anka est partiellement assise, une fesse posée sur l'appui de fenêtre, l'autre jambe pend dans le vide au-dessus du sol en carrelage. Édith lève la tête.

— Où ça, ma chérie ?

Il y a là, échoués sur la table de la cuisine, quantité de légumes couverts de terre, qu'Édith passe sous l'eau et brosse ensuite, l'énergie de tout son corps impliquée, elle passe leur surface au frottoir paysan.

— Paris, Bruxelles, j'en sais rien. Une grande ville.

Édith cesse ses frictions et pose l'objet aussitôt. Puis, d'un bras tendu, elle attrape le torchon pendu au crochet et sèche ses mains.

— Mais pour quoi faire ?!

— Je veux faire autre chose, répond-elle sans la moindre conviction.

— Ah bon ? Elle est pas gentille avec toi, Line ?

Anka s'agace, elle lève les yeux au ciel.

— Ben alors je comprends pas...

Édith reprend le travail, trie dans une caisse des tomates en grappes, leur ôtant vigoureusement tiges et pédoncules en une succession de gestes quasi mécaniques.

— J'ai besoin de changer d'air.

Elle murmure comme s'il s'agissait d'une expression grossière, observant du coin de son œil saillant la réaction maternelle.

Mais cette fois, Édith n'interrompt rien, ni l'équeutage de ses fruits trop mûrs, ni le régulier tremblement cramponné aux muscles de son bras qui trahit son âge avancé.

— Mmhhh…, commence Édith, je vois.

Puis elle enchaîne. Les mots collés les uns aux autres prononcés au rythme constant de ses respirations, sans emphase ni affect, comme on décline une liste de courses :

— Tu n'en peux plus, c'est ça ?

— C'est ça.

Et ensuite, sa mère n'ajoute rien, ni un mot, ni un soupir, ni l'expression d'un consentement.

Comment lui exprimer ce qu'elle ressent ? Anka se sent lasse de chercher les mots, elle aimerait tant que ça vienne d'elle, qu'Édith lui prenne la main et prononce d'une traite tout ce qu'elle aurait besoin d'entendre :

Tu es fatiguée, ma chérie, de frictionner des crânes avachis que tu aperçois systématiquement à travers le peu qui reste de leurs cheveux si fins qu'on dirait des fils de soie. De respirer, penchée au-dessus, l'odeur âcre de leurs cellules élimées se désintégrant l'une après l'autre, l'haleine acide lâchée par des gencives désormais poreuses, de sentir sous tes doigts leur derme tari, leur peau devenue papier qu'on pourrait la chiffonner rien qu'en serrant le poing, de rincer à l'eau claire des procédés chimiques qui jour après jour et à tout prix défient le gris, peu importe qu'à la place, peu convaincant, le résultat soit rose ou mauve. Tu es lasse, ma chérie, de brusher des mèches que l'on dirait poisseuses tant elles sont harassées et misérables. D'asperger de laque un chignon crêpé qui n'a de volumineux que la pauvre illusion qu'il procure encore à peine. De manucurer des mains rabougries, de teindre des cils brisés, de tatouer par-dessus des sourcils disparus le maigre trait d'un arc de cercle artificiel qui prête au visage les traits angoissants de Pierrot la Lune et de pigmenter des bouches fades, bouquet de lèvres incolores, d'où le sang s'est depuis longtemps retiré. Tu ne veux plus sauver la vieillesse à tout prix, lui donner des airs feints de seconde chance, participer à cette mascarade, et, pire encore, la nourrir. Tu voudrais retrouver les fondements de la raison. Enjoliver la réalité. Or chez les vieux, l'inexorable flétrissure du corps cannibalise tout, les derniers vestiges de la jeunesse surtout, et à tenter d'y revenir, surgit alors en démons faisandés l'image d'un passé qui ricane. Tu as raison, à ces gens-là il ne faut pas toucher, il faut les laisser, propres et bien coiffés, devenir jour après jour plus ancestraux encore, en espérant que sur l'un ou l'autre le temps posera une caresse douce. Je comprends que tu préfères tenter des tresses africaines sur des filles de trente ans.

Édith pose une main gracile sur l'épaule de sa fille qu'elle étire ensuite en une brève caresse. Soudain, Anka ne sait plus si elle a rêvé ce texte ou si sa mère l'a véritablement prononcé.

– Tiens, tu me donnes la passoire ?

Avec une large spatule perforée, elle repêche dans la casserole d'eau bouillante les tomates à peine saisies qu'elle tend à sa fille comme autant d'espoir qu'elle lui réponde : *Mais non maman, c'était une blague, bien sûr que je ne pars pas, je ne te quitterai jamais.*

Anka saisit l'objet et regarde Édith continuer d'entreprendre sa petite cuisine avec l'attention du détail qui jamais ne faiblit, elle est à toutes les actions et à tous les moments entièrement dévolue. Elle procède à sa recette comme si elle avait à sertir un diamant d'autres diamants, méticuleusement appliquée, carrément orfèvre. Et de la même manière elle a posé sur le quotidien de sa fille les termes d'un langage d'une étonnante finesse, adjectif après adjectif, verbe après verbe, tout pour le décrire à la perfection. Comment se fait-il qu'elle puisse énoncer aussi congrûment ce qui la hante à l'intérieur ? Anka s'assoit, elle ignorait que sa mère puisse l'observer d'aussi loin avec autant d'attention, ça lui semble aberrant, cette distance cousue d'autant de sollicitude, *Ça doit être ça, une mère.*

Le programme du jour est chargé, il s'agit, ce 12 avril, de nettoyer des coffrages, de racler le béton qui reste et d'huiler la peau coffrante. Depuis quelques jours, Marcus doit graisser le rail du chariot qui grince à la fois vers l'avant et vers l'arrière. L'information lui a été signalée par une succession de voyants lumineux et de bips en tous genres dont il fait, depuis le temps qu'il chaperonne son grand échassier, une lecture précise. La flèche est longue, trente-cinq mètres, mais en rapprochant le chariot au maximum de la cabine il peut réduire la distance de lieu d'intervention à environ deux mètres.

La procédure officielle requiert la présence d'un ouvrier de maintenance, un gars spécialement dédié à réparer et entretenir la bête, mais pas plus ce matin que dans le passé il n'a l'intention d'y faire appel. Pour ces réparations sommaires, il est capable d'intervenir seul, progressant en quadrupède vers l'extrémité de son fardier géant, comme s'il plongeait en plein gouffre, une enfonçure horizontale pourtant, dangereuse forcément. Il n'en a cure, il est le plus expérimenté, c'est du moins ce qu'il pense et dans le milieu il n'y a pas grand monde pour le contredire.

Ce matin, le vent est faible et constant. Il attrape son harnais, y plonge une jambe et puis l'autre, ajuste à sa taille les attaches variables et, ainsi pourvu, ouvre la porte de la cabine. La marche à suivre est connue, il enfile ses gants et son casque, assure ensuite son lien au mousqueton mobile qui longe le rail en acier ancré à même la flèche.

À ce stade, à quatre pattes au-dessus du vide, il rampe accroché au squelette de sa monstre bestiole. Avec sa veste de chantier haute visibilité, on dirait un ver luisant. Juste en dessous de lui, sous le crochet, deux fois trois mètres soixante de chaînes, séparées en un duo de brins parallèles, balancent calmement dans le vide. Le vent, las, est gringalet, une mauviette pour un bord de mer. Et il en profite. Tout en avançant, de temps à autre, il cajole d'une paume bourrue la structure sur laquelle il est agrippé, comme on le fait à un cheval, un geste pour sceller entre lui et la grosse dame métallique une sorte d'union sacrée. L'homme et sa grue, c'est une histoire qui dure depuis dix ans, il pilote toujours la même ou presque, peu importe le chantier, la sienne est une des plus hautes de la région, pour le concurrencer à la manœuvre d'un tel dispositif, il y a peu de monde. C'est sa mastodonte camarade, un colosse cher à son cœur. Comment peut-on à ce point s'émouvoir d'une masse en acier ? Personne n'a jamais compris. Lui n'en a cure. Il aime ce qu'il y fait, se délecte de ce qu'il y voit, la hauteur est un privilège sans égal, voilà ce qu'il répond aux sceptiques qui lui assènent depuis une décennie les mêmes questions stupides, les femmes surtout. Il est gêné de le penser mais celles, nombreuses, qu'il a fréquentées un jour ou quelques mois avaient toutes, collées à leurs lèvres, à propos de son métier, les mêmes exclamations apeurées ou hystériques.

Sous lui, le vide, plus bas encore, la Grand-Place. De rares piétons vaquent en toute insouciance de ce qui est en train de se produire au-dessus d'eux, si seulement ils levaient la tête, si seulement les gens, parfois, regardaient vers le ciel. Ils verraient ce petit homme tout en jaune, gilet et casque inclus, qui crapahute, harponné au longeron de la flèche. Les réparations à cet endroit, il adore ça. Là-haut, il se sent libre, contemple la vie sous lui qui piaffe, les courtes silhouettes s'adonnant, méthodiques, à leurs occupations. Se trouver pile à la verticale d'une vicissitude quotidienne, commune et pourtant si singulière, brassant toutes les couleurs de l'humain, voilà bien ce qui, plus que tout, l'inspire. Alors, il se sent multiple, riche d'une force que les mètres lui imposent sans concession, le fait de dominer sans doute. *Tu es snob*, lui a répondu son père lorsqu'il a tenté de lui décrire ce qu'il ressentait perché ainsi tout au faîte de son engin. *Tu es comme ces intellos qui ne se sentent bien qu'à prendre les gens de haut.* Et comme d'habitude, il a soupiré.

Le point d'huilage est atteint, il s'assoit à califourchon, plonge dans sa ceinture à outils multipoche, en extrait une gourde à embout étroit qu'il dépose sur l'acier de sa grue. À quatre pattes, le poids du corps balancé vers l'avant, il a besoin de toute la force de ses bras, l'un encourageant l'autre, pour atteindre l'endroit rouillé.

Il dira plus tard, bien plus tard, lorsque sa mémoire lui reviendra, ça lui prendra des mois, que de tout ça, le grand coupable fut l'océan et son souffle variable, plus ou moins attisé. Sur le moment, en plein agissement, la concentration entièrement dévolue à la procédure, il aura donc, curieusement, ignoré de constater que la brise, d'un coup, s'est levée. Le vent marin est sournois. Il est capricieux et peu fiable, dangereux et même assassin parfois.

L'espace d'un instant, très bref, Marcus fait deux choses à la fois, son regard soudain multiplié se dissipe et, d'un même élan, il regarde tout et plus rien. À cette hauteur, si les perspectives s'embrouillent, c'est l'équilibre qui prend cher. Il se tourne légèrement vers la gauche pour reprendre le cours de son travail, lorsque surgit une bourrasque inattendue, fielleuse, carrément machiavélique. Il ignore si c'est le vent, cette masse d'air qui l'effleure avec vigueur, ou bien le bruit du frottement qu'il produit en venant lécher la structure métallique, peu importe, au fond, quel événement précisément, à cet instant minuscule, provoque sa chute, une vacuité, mais quelque chose comme une ultra-brève pénurie cérébrale, dont il sera bien incapable de préciser si elle fut temporelle ou spatiale, le saisit d'étourdissement. Et d'un coup, c'est tout son corps qui bascule. Quatre-vingt-sept kilogrammes qui versent vers l'avant et propulsent dans le vide un homme tout entier.

La tête projetée d'abord, il ne cesse de plonger jusqu'à ce que, très vite, le câble relié à son mousqueton interrompe violemment sa chute. Il se tend d'un coup, retient la poupée désarticulée qu'il est devenu en une seconde à peine. Voilà que la gravité est stoppée net, presque frustrée, contredite par une corde d'acier pour le sauver. Pourtant, sous le choc, son casque de chantier, mal attaché, dégage au loin comme un frisbee. Son corps pend comme un objet, abandonné tout entier à l'omnipotente gravité, il bascule violemment de gauche à droite, entame un balancement nerveux et la tête du grutier vient frapper le mât de levage. Il perd connaissance sur-le-champ et durant de longues minutes pendouille ainsi à cinquante et un mètres au-dessus de Kerlé, brimbalé par les respirations célestes de l'océan.

Quelques minutes avant la chute, les baskets d'Anka pianotent avec énergie sur les pavés de la rue des Bouchers, elle doit ouvrir le salon ce matin, elle a dix minutes de retard, ça lui arrive parfois, quand les nuits hantées par les souvenirs de son père se prolongent douloureusement le jour venant. Il y revient pour discuter avec elle, comme si de rien n'était. Il est là, à bout de lit, presque palpable, à lui parler de tout, de la vie exactement comme avant quand Vladimir était encore vivant, affalé sur une chaise de la cuisine à plaisanter, bière à la main. C'est fou, la vitesse à laquelle l'inconscient se barre au plus loin pour s'illusionner en paix.

Dans la rue Depage, Anka presse le pas, Line pourrait bien lui servir une colère dont elle a la tendresse si elle apprenait qu'elle a ouvert en retard. Elle déboule sur la Grand-Place, cet endroit qui fait la fierté des Kerléais, tout ourlée par la gauche de vieux hospices et par la droite d'un trou béant, colonisé depuis trois mois par des engins de chantier.

Ce lundi 15 avril, la place municipale répand là, sous les pieds d'Anka, sa surface en béton et par-dessus, en une fine couche scintillante, la rosée matinale poudroie.

Le casque de chantier tombe à deux mètres d'Anka, pile à ce moment-là.

Il percute les pavés avec une force colossale, la chute produit un son fracassant, une déflagration creuse, comme un pétard dans une caverne.

Anka bondit et hurle en même temps, elle aboie une sonorité indescriptible, un cri tonnant s'échappe de sa gorge.

Brisé par endroits, l'objet gît tout à côté d'elle, jaune poussin, à quelques centimètres seulement, on dirait un oiseau mort, qu'elle fixe sans bien comprendre, son cœur boxant sa cage thoracique à tout va. Elle demeure figée. Quelques passants, épargnés comme elle par cet éboulis ahurissant, tentent de reprendre leurs esprits. Et puis, très vite, le réflexe de l'un devient celui de l'autre et tous ensemble, de concert, lèvent la tête.

Tout là-haut, l'homme retenu par un fil semble inerte. Anka détourne le regard aussitôt, vagit à nouveau, le son que sa gorge éjecte est fêlé, un hululement barouf, le gémissement d'une ruine. Elle s'écroule sur le ciment humide, dégaine son portable, ses doigts flageolants composent le numéro des secours, puis à l'infirmier de garde hurle dans le combiné, doit même se reprendre à deux fois pour décrire la situation.

– Un homme pend dans le vide !

C'est tout ce qu'elle trouve à répéter.

Bien avisée, une dame lui retire son portable et décline, plus calmement, les informations indispensables à l'envoi des secours.

Quelques-uns crient maintenant en direction du pendu-par-les-pieds pour tenter de comprendre s'il est conscient ou non.

Déjà, par-delà la futaie de toitures urbaines, on entend la sirène braillante de l'ambulance. La Grand-Place de Kerlé, piétonne, et partiellement fermée depuis l'ouverture du chantier, est pourvue de plots aux quatre points d'accès, qui s'enfoncent dans le sol pour celui qui dispose de la télécommande municipale. Le véhicule sanitaire, rejoint à présent par un double camion de pompiers portant sur le dos, comme un long bras, une échelle de sauvetage magnifiquement fuselée, dégaine un sprint ultime jusqu'au pied de la grue.

Les premiers intervenants grimpent comme des fourmis, l'un après l'autre, en une colonne parfaite, aux échelons de la grue, sur cinquante et un mètres de hauteur, ça leur prend quelques minutes. Là-haut, c'est une autre histoire, l'opération est délicate, l'échelle du camion de pompiers trop courte pour porter main-forte par l'extérieur aux hommes déployés sur la grue. On a appelé le gars de la maintenance, le seul ouvrier sur le chantier qualifié pour ce genre d'intervention, mais à cette heure de la journée il vaque encore.

Depuis le sol, la manœuvre paraît chorégraphique. Un ballet urgent de bonnes volontés sur une musique glaciale ponctuée de bruits métalliques et d'injonctions masculines portées fort.

Au sol, les jambes légèrement écartées pour assurer son appui, Anka lève la tête, observe le grutier, la sienne pendue à l'envers, ses cheveux tendus vers le sol, sa lèvre supérieure déposée sur son nez comme un objet précieux, ses paupières lourdes qui délaissent deux globes largement découverts. Ce spectacle tourné vers le ciel, l'inconscience d'une silhouette inconnue qui pendouille comme un saucisson et ce corps qui ne tient plus à l'existence qu'à un fil, lui semble soudain prendre tout l'espace. Il grossit sous ses yeux, son contour, dilaté, devient flou, puis dans les rétines d'Anka l'image gonfle, le grutier devient une sorte de baudruche ignoble. Elle a envie de vomir, s'accroupit un instant, ses yeux sont clos, sa bouche largement ouverte, elle respire profondément.

Puis elle s'assoit et au beau milieu de la place de cette ville qu'elle traverse depuis vingt ans, régurgite tout à la fois, ses entrailles, ses angoisses, son chagrin et l'oppressante vision d'un corps qui rêve et vole simultanément, et dont elle ne cesse de se demander s'il est vivant ou mort.

Alors elle consomme en titubant les cinquante mètres qui la séparent du salon et ouvre la porte avec dix-huit minutes de retard en ce troisième lundi de printemps.

Dans la salle à shampoing, Flan change l'eau des fleurs.

— T'es en retard.

Anka ne répond rien, file dans la salle de bains, s'asperge d'un filet d'eau froide, de quoi lui rincer la bouche et le cerveau.

— Y a un mec qui...

À travers la pièce, Flanagan hurle comme à son habitude.

— Je sais !

Elle l'interrompt sans attendre puis débourre à nouveau le fond de sa gorge, le bruit est étrange. Flan, à qui rien n'échappe, affiche une moue dégoûtée.

— *Disgusting...* Qu'est-ce que tu fous ?

— Rien.

Le ton, quasi inerte, laisse présager une lassitude épaisse et collante.

— Il a essayé de se suicider ou quoi ? suggère l'Irlandais.

Anka se retient de rire, ce mec oublie parfois de réfléchir. Bien souvent, ça a du charme, c'est ce qu'elle aime chez lui, le mélange hirsute de naïveté et d'une sensibilité rare dans ce coin du globe.

— C'est ça, bien sûr, avec un mousqueton...

Flan la fixe un instant :

— Un quoi ?

Anka s'assoit sur une chaise, ne bouge plus, elle fixe le mur devant elle, pousse une série de respirations rapides et profondes et ferme les yeux. Puis elle se lève, se verse un café noir fraîchement torréfié, avale une première gorgée chaude et repense à l'homme ondoyant de la grue, voltigeur anonyme, trempé dans le plein air comme un stylo dans l'encrier, il lui a semblé qu'il planait et coulait en même temps.

Comme son père.

À l'arrivée de Line, il est 10 heures. Trois clientes jacassent de concert, l'accident de ce matin n'a échappé à personne. Ça rapporte de toutes parts, dans tous les sens, on dirait un dessin de Pollock.

— Oui, oui, il était encore vivant, enfin c'est ce que Maurice a dit à André.

Aux informations imprécises et contradictoires s'ajoutent des haussements de vieilles épaules, toutes couvertes d'une serviette de protection.

— Évidemment, quand on est grutier, il faut pas s'attendre à autre chose.

— Pas forcément, s'oppose l'autre.

— Ben en tout cas, c'est moins dangereux de biner la terre, précise la troisième.

Anka est agacée.

Le ballet des lieux communs l'épuise. Il lui semble que son estomac est labouré comme un champ de betteraves, une terre bosselée, charroyée d'une multitude d'affres récentes que la chute du grutier vient ranimer grossièrement.

Elle voudrait rester cachée dans la remise, se sent trop fragile pour reprendre le travail, épuisée par la frivolité de ses corollaires, la vacuité des propos échangés avec la clientèle, les chevelures parme ou parfois jaunies des fidèles petites dames qui subissent autant l'oxydation de leurs crinières éparses que de leurs souvenirs.

Comme tous les jours, Line l'embrasse. Un baiser de marraine qu'elle assortit d'une caresse sur l'épaule, sa façon à elle de lui signifier qu'elle est là, à l'écoute, en empathie, en amitié, en toutes sortes d'attentions incontestablement très délicates et elle ajoute :

— Appelle ta mère.

Anka soupire.

— Je termine Madame Chauvelle.

Line s'adresse à Anka :

— Elle attendra.

Puis à l'autre :

— N'est-ce pas Madame Chauvelle ?

Qui ne comprend rien.

— De quoi, siffle-t-elle ?

Pour toute explication, la cliente voisine au brushing, une amie semble-t-il, désigne Anka d'un geste chagrin.

— C'est la fille d'Édith.

Madame Chauvelle, pas plus avancée, a le regard vide.

— Tu sais, la femme de Vladimir..., insiste l'autre qui commence à penser *Faudrait faire un effort, là, Madame Chauvelle...*

Qui ne percute pas pour autant. Ses pupilles bleu lagon cherchent une accroche, n'importe laquelle, pourvu qu'elle puisse dire quelque chose.

— Le marin qui a disparu en février...

Et là, ça y est, Madame Chauvelle bascule d'un coup, pile à la page, tout s'agite en elle, ses cheveux, ses lèvres, sa peau fine, d'avoir enfin saisi l'information.

— Ah ben oui, ça y est, ben oui, c'est triste, cette histoire.

Adossée au bac, Anka n'a même plus l'énergie d'acquiescer, elle le sait bien que c'est triste d'avoir perdu son père noyé en pleine mer, le cadavre à la dérive ou coulé dans les grands fonds ou grignoté par un sabre noir.

Puis se tournant vers Line, la cliente ajoute, comme si le lien se devait d'être fait :

— Eh ben dites donc, ça en fait des drames !

La coiffeuse ne comprend rien, personne n'a eu le temps de lui dire pour l'accident du matin.

— Ben le petit qui est tombé de sa grue, se fait une joie de préciser Madame Chauvelle...

— Je reviens, lance-t-elle mollement à sa cliente qui continue à dodeliner du haut du corps par égard pour cette étrange colonie de catastrophes, laissant Anka debout au bord du bac à shampoing, qui refoule une frustration fondue, brumeuse, impossible à identifier, des bandes de mots se bagarrent en elle. L'une lui hurle *Qu'est-ce que tu fous à coiffer des vieilles, toi qui rêvais de haut-vol ?* ; l'autre objecte aussitôt *Elle vient de perdre son père je te signale*, et dans le fin fond de ce marasme intestin, une petite voix qui fond sous le casque à permanentes murmure comme une fine peau de chagrin, *C'est pas si simple, un deuil.*

Dans la poche de sa veste en jean, Anka retrouve son portable et ainsi, comme tous les jours depuis la fin de l'hiver, elle entame une conversation téléphonique dont elle connaît par cœur, au mot près, le déroulé :

— Ça va maman ?

— Ça va ma chérie. Et toi ?

— Bien.

— Tant mieux.

— Qu'est-ce que tu as prévu de faire aujourd'hui ?

Soupir d'Édith.

— Je dois préparer la soupe.

Soupir d'Anka.

— Maman...

— Quoi ?

Soupir d'Édith.

— Il va revenir, je te dis.

Soupir d'Anka.

— Allez, je t'embrasse maman.

— Moi aussi ma chérie.

Anka raccroche et soupire une dernière fois. Line l'observe depuis l'arrière-boutique et n'a pas manqué un mot de la conversation, elle connaît le cirque de son amie Édith par cœur.

— Alors ? lance-t-elle sans grand espoir.

Anka hausse les épaules, son regard pincé renvoie une poignée de déserts minuscules, à la fois hagards et forcément dépeuplés.

— Elle est à quoi la soupe du jour ? poursuit-elle.

Alors soudain Anka, extraite de ses pensées, se marre, bien qu'elle ait envie de pleurer tout autant. À vingt-trois ans, elle est célibataire, coiffeuse pour personnes âgées, elle vient de perdre son père noyé dans l'Atlantique, ne lui reste que sa mère, qui, en l'absence d'un corps à inhumer, continue à cuisiner pour cet époux disparu des potages qu'elle confie quotidiennement aux marins en partance pour la pêche, *Si jamais vous croisez Vladimir*, qui réceptionnent les Thermos tête baissée, incapables de refuser à la veuve obstinée cette mission insensée.

Vladimir a accepté de céder la barre à la sortie du port. À seize ans, Anka dévore seule trente-quatre *miles* le long des côtes, la mer est sage, l'horizon un fakir contemplatif, le père surveille le terrain océanique jeté devant sa fille. Loup de mer au souffle long, il sort les crocs, éternellement en alerte. Falaise après falaise, défile à leur gauche la côte bretonne, fauve et misanthrope, grevée d'herbes dingues et de cailloux cendrés.

À l'heure du déjeuner, ils accostent dans un port minuscule, le roulement du ressac pour seul bruissement, la singulière fraîcheur de juin a retenu les gens chez eux. Du bac hermétique logé dans la banquette arrière, il sort un pique-nique réglementaire : Thermos de potage et tartines. Père et fille dressent aussitôt une table sur le pont arrière, Vladimir distribue les vivres et sert la soupe. Comme à son habitude, Anka grimace, ça ne fait plus réagir personne, elle-même ne sait pas à quoi, par automatisme, son corps s'oppose ainsi.

— J'aime pas les légumes, c'est tout ce qu'elle trouve, parfois, à ajouter.

Vladimir mord dans sa tartine, la bouche encore pleine il enchaîne :

— Ma mère était maraîchère, je t'ai déjà raconté ça ?

Anka hausse les épaules, bien sûr que non, il ne lui a jamais raconté, il ne parle de son enfance que pour y poser des silences.

— Elle en faisait pousser aux kilos.

— C'est pas héréditaire manifestement.

Anka rit, Vladimir aussi.

— Quand j'étais petit, elle m'emmenait dans les plantations de choux au nord de la base et je l'aidais à remplir ses paniers. Ça durait toute la journée. Elle avait toujours mal au dos, mais elle ne s'en plaignait jamais.

Pour la première fois, il semble à Anka que son père a peut-être envie, ou besoin – à propos de ce sujet elle a bien du mal à établir la distinction –, d'en parler plus avant, de préciser. Elle n'en est pas certaine, mais à demeurer là, à la surface d'une eau placide, dans ce port minuscule, elle ne risque rien à le tenter.

— Elle était gentille ?

La question le saisit, pas habitué à faire de son passé un sujet. Il tourne la tête d'un geste sec, puis acquiesce en douceur, un sourire vague au coin de la bouche

— C'était une enfant. Elle riait tout le temps et ça ne plaisait pas aux autres.

— Pourquoi ?

La réponse la surprend.

— Elle était fragile.

— Fragile comment ?

Il prend le temps de réfléchir un peu, ses réponses ne sont au fond que des débris de souvenirs, il est même douteux d'espérer y trouver encore un lien à la réalité.

— Je ne sais pas. La journée, on me demandait de l'accompagner pour prendre soin d'elle, j'avais à peine sept ans.

— Et ton père ?

Vladimir jette sa tête en arrière, Anka touche là à une matière partie en fumée depuis bien trop longtemps. Ne reste plus qu'à fermer les yeux d'impuissance.

— Je m'en souviens plus.

— Rien du tout ?

— Non.

— C'est fou d'oublier son père.

Elle a à peine prononcé cette phrase qu'elle y ajoute une flopée d'excuses, se soustrayant immédiatement à l'idée qu'elle a pu émettre le moindre jugement, mais, déjà, Vladimir amorce une retraite, comme une dérobade à la marée montante de sa mémoire.

— Quand il est mort, on m'a mis dans un bateau.

Il cherche appui, sa main volant au secours d'un corps qui, en la circonstance, se sent creux, évidé comme un ravin.

— Je crois que ma mère n'était pas capable de m'élever seule.

De là, il pousse son regard vers le haut, fixe le ciel et évite de regarder Anka un long moment.

— On termine ?

Il ouvre le Thermos de potage qu'il sert dans un large bol, le boit et le vide tout entier.

Le grutier s'appelle Marcus Bogat. Les services de secours ont contacté son employeur, et Yann, le chef de chantier, attend dans le couloir.

Il est inquiet, le médecin tarde et les bribes d'informations qu'il a obtenues des témoins et de certains pompiers font état d'un accident grave. Lui n'a rien vu, à cette heure-là le chantier n'était pas encore ouvert, le stade du petit déjeuner pas franchement dépassé, il lisait le journal à cheval sur le bar en contreplaqué de sa cuisine.

Le médecin débarque, clichés radiographiques sous le bras, il marche avec une énergie toute militaire. D'un geste de sa main libre, il lui indique une pièce où le suivre, bardée de panneaux lumineux fixés au mur sur lesquels il applique sans attendre une série de photos prises aux rayons X. Yann reconnaît les contours du crâne de Marcus, une œuvre en noir et blanc, des taches qui s'entrelacent, on dirait le motif un peu brouillon d'un tee-shirt hippie.

— Vous êtes de la famille ?

— Non, son responsable de chantier.

Yann en est presque gêné.

— Son père habite dans le Sud. Il a été prévenu.

— Asseyez-vous.

Ce n'est pas une demande, c'est une injonction.

Le docteur Raymon dégaine un Bic accroché à la poche de sa chemise et désigne par son extrémité le marasme visuel qui s'étale au mur. Dans un silence glacial, les secondes s'étirent comme un chat aboulique, les mots qu'il s'apprête à prononcer seront déterminants, Yann a envie de se rouler en boule comme un enfant, dans sa tête défilent en rafale des semblants de prière, *Mon Dieu, faites que*, sans que rien fasse sens, ni l'appel à un dieu auquel il ne croit pas, encore moins l'espoir d'avoir été entendu. Malgré tout, il ne se prive pas, lui administre des suppliques à tout va, il conjure tant qu'il peut, espérant que de ce charabia profane résulte un diagnostic favorable.

— On a un hématome dans la partie du lobe temporal gauche. La probabilité qu'il se résorbe tout seul est réelle. Mais pas garantie.

Yann opine. Un hochement bref, délicat.

— On pourrait opérer, c'est une option, mais ça comporte des risques...

Une fois encore, Yann approuve.

— Pas énormes, poursuit-il, mais on a décidé de ne pas intervenir pour le moment.

Yann soupire en silence, cette façon de dire tout et son contraire...

Raymon remonte ses manches et s'assoit sur le coin de la table, une jambe qui pend dans le vide, l'autre retient à peine son corps élancé.

— Dans un premier temps, on ne fait rien, on attend.

Yann le fixe.

— Mais pourquoi ?

Un doute l'effleure, il n'y connaît rien certes, mais cette conversation lui semble absurde.

— Si vous dites que le risque est faible.

Raymon expulse un souffle long puis précise.

— Il est faible, mais il existe.

Yann se tend à nouveau. Les traits serrés, il se lève et s'approche du tableau lumineux. Les photos insondables de son camarade de chantier le narguent, devant le cerveau de Marcus imprimé ainsi en argentique lui vient un sentiment d'impudeur totale, comme si les rayons dévoilaient ses pensées au monde entier. Peut-être que les spécialistes comme Raymon parviennent à voir autre chose dans ces clichés que l'état purement anatomique des organes. Yann se demande si certaines zones dévoilent à l'image les sentiments de Marcus pour cette fille qu'il suivait à l'obsession ? Yann voudrait recouvrir les clichés d'un drap, les tenir à distance, le temps que Marcus retrouve ses esprits, respecter son intimité.

— C'est un peu le principe du risque, non ?

Yann ne lâche pas le médecin du regard, perçoit dans le fond de son œil l'éclosion d'une frustration, puis il tente un sourire et distend ses lèvres qui se couchent à contrecœur.

— Normalement on ne fait pas d'humour en neurochirurgie, précise le médecin.

Las, Yann proteste à peine :

— Je n'en fais jamais, alors en neurochirurgie...

C'est trop tard, déjà l'affront bombarde les joues du médecin, pince ses paupières, creuse les rides de son bas front, Raymon ramène sa jambe pendante au sol et il attrape son dossier. À tenter de dissimuler sa vexation manifeste, il n'écoute presque plus Yann, qui pourtant n'en a pas fini.

— Vous avez dit « on attend », mais vous allez attendre combien de temps ?

Raymon siffle, comme pour dire *Ah ça mon ami...*

— À peu près ? tente encore le chef de chantier.

— Revenez dans vingt-quatre heures, conclut l'homme. D'ici là, les choses auront peut-être évolué.

Il s'approche des radios pour les décrocher, retirer d'un coup à la verticale le profil cérébral de son ami de chantier, rendre aux panneaux lumineux leur virginité originale.

— Si c'est possible, j'aimerais avoir un second avis.

Et Yann d'ajouter aussitôt :

— Pour le bien du patient.

Raymon le couvre d'un sourire naissant, dense, très vite, il éclate de rire, une explosion avachie mais braillarde comme un vieux ballon qui claque.

— Qu'est-ce qu'il faut pas entendre, je te jure.

C'est uniquement pour lui qu'il parle et tandis qu'il ricane encore, les sourcils plaqués au front, le chirurgien franchit la porte, une enveloppe de clichés sous le bras, laissant Yann à quai.

Comme le lui rappelle Line tous les matins, Anka prend des nouvelles de sa mère, lui rend visite régulièrement, dans sa cuisine toujours, puisqu'elle ne quitte plus ses fourneaux.

Leurs rendez-vous imposent un rituel immuable, la mère qui parle en s'affairant à ses primeurs, la fille qui s'assoit dans la chaise en rotin logée à droite de la porte, et de l'une à l'autre roulent, comme l'eau d'un ruisseau, les grandes et petites histoires de leurs vies étranges.

— Tu devrais aller à l'hôpital. Prendre de ses nouvelles.

Anka s'est levée, marche autour de la table, elle tourne en rond, hausse les épaules.

— Je le connais pas.

— Et alors ? Il est tombé et tu étais là. C'est un minimum.

— Et toi, tu pourrais pas sortir un peu ?

— Je fais mes courses tous les matins, à l'heure où tu dors encore mon petit cœur, lui répond-elle avec une douceur froide.

— Je ne parle pas de prendre l'air, je parle de sortir !

Édith sourit en coin, elle pose son long couteau ciselé sur la planche en bois, laissant un morceau de poireau à peine fendu sous ses dents voraces.

— Tu aimerais que j'aille au cinéma ? Que j'aille voir le dernier Desplechin, c'est ça ? Ça te rassurerait, ma chérie, que ta mère prenne part à la culture et au reste du monde ?

Anka la toise longuement, demeure parfaitement immobile tandis que sa mère récupère sa large lame et scelle d'un coup sec le sort de la racine.

À l'instant où elle entend sa mère, elle pense que c'est précisément de cela qu'il s'agit, *revenir au monde,* pour autant elle ignore à qui cette phrase s'adresse le mieux : Édith, Vladimir, le grutier ou bien elle-même ?

— Tu devrais songer à faire ton deuil, ose-t-elle ensuite.

Sa mère ne répond rien, pas un seul mot pendant les minutes qui suivent, épaisses, presque grasses.

— Tu veux pas parler, c'est ça ?

Anka relance Édith, qui émince toujours...

— Moi aussi j'ai perdu Vladimir Savidan je te signale.

... un poireau à la fois, méthodiquement, la montagne de cubes verdâtres prenant de l'ampleur...

— Je passe pas mes journées à couper des légumes pour autant.

... versée à présent dans une casserole remplie d'eau frémissante à laquelle elle ajoute un cube de bouillon.

— Il me manque. Et toi aussi.

Édith diminue le feu sous la marmite, vide dans la poubelle les extrémités et Anka, ne sachant plus quoi dire, soupire. Elle prend place dans le coin de la cuisine, à nouveau, se demande combien de temps encore elle va devoir rester assise là, à espérer un mot de sa mère.

— Il reviendra.

Édith ôte son tablier, file dans la réserve, en ramène un cageot de carottes, tire un tabouret elle aussi, prend place à la table centrale et se met à peler quatre kilos sept de légumes racines.

— Tu es dans le déni, siffle Anka.

— Le déni conscient, précise Édith.

— Comment ça ? questionne sa fille. Si le déni est conscient c'est pas du déni !

Édith pose son engin à peler, la jauge un bref instant.

— Dans le déni assumé.

— Ah bon ? Et c'est quoi, un déni assumé ?

— Ma chérie, là, tu chipotes. Édith reprend la carotte à moitié desquamée et achève de lui faire la peau.

Anka se lève, attrape son sac à main et se place devant sa mère pour l'embrasser.

— Papa est mort. Il ne reviendra pas. Il ne peut y avoir ni de déni conscient ni de déni assumé. Il ne peut pas y avoir de déni tout court !

Édith la laisse quitter la cuisine puis elle se retourne bruyamment sur son tabouret et soudain beugle :

— Cuire des potages pour mon mari et pour les matelots, c'est un acte militant et c'est encore ma liberté !

Ils sont nombreux, les voisins ou badauds qu'Anka croise au hasard d'une rue ou d'un comptoir, à venir lui rapporter qu'ils ont vu sa mère distribuer ses bouillons sur la rade du port, Thermos après Thermos, les offrant de bonne grâce à des mains rongées par le sel, à deux doigts de prendre la mer, encore et encore. Elle réclame seulement le retour du Thermos en même temps que celui du marin et glisse à l'occasion que celui qui croisera Vladimir au détour d'une rencontre en haute mer sera son allié pour la vie. Les hommes sourient et l'embrassent sur la joue, la remerciant de leur fournir quotidiennement une pitance.

Laissant au loin la maison familiale composer avec la mer dont elle évite soigneusement le regard, Anka trouve même qu'Édith fait montre d'une force qu'elle aurait aimé admirer, si elle ne s'était pas sentie délaissée.

En rentrant chez elle ce soir-là, elle ne pense ni à sa mère ni à sa questionnable santé mentale, elle pense au grutier, l'homme qui a perdu conscience à cinquante mètres juste au-dessus d'elle. Comme ils sont étranges, ces hommes qui s'en vont par le haut ou par le bas, la laissant, elle, plantée pile au milieu, le relais médian d'une chimère ou d'un mirage.

Yann s'est entretenu au téléphone avec le père de Marcus, à plusieurs reprises durant les heures qui ont suivi l'accident, le temps qu'il parvienne à réserver un billet de train, une première pour lui. De sa vie, il n'a jamais quitté sa région. Lorsque la sonnerie de son portable retentit et qu'il constate un numéro inconnu, quelque chose en Bernard surgit d'un endroit inexploré, un mélange de surprise et d'inquiétude, personne, jamais, ne l'appelle d'un numéro inconnu.

— Je m'appelle Yann, je suis un collègue de votre fils.

Aussitôt, l'autre marmonne un retour imprécis et lui demande ce qu'il veut.

Lorsqu'il tente de lui annoncer en douceur, avec des mots atténués, presque pâles, le coma de Marcus, Bernard ne comprend pas. Et guidé par un réflexe énigmatique, il raccroche. Il reste quelques longues secondes, assis au même endroit, dans le fauteuil de l'entrée, à scruter fixement le mur. Au second appel, déjà, sa voix a changé. Il répond comme un enfant, des phrases courtes, monosyllabiques, son corps penché vers l'avant, le bras plié à hauteur de visage, prêt à parer aux coups les plus violents.

— Il est mort ? Est-ce qu'il est mort ?

— Non, il est dans le coma.

À cette information, les épaules voûtées de Bernard plongent de quelques centimètres encore et le silence conquérant prend place, relayé par un doute qu'il craint d'exprimer.

— On dit ça souvent aux familles, votre enfant est dans le coma et quand ils arrivent à l'hôpital on leur annonce qu'en fait il est mort...

— Rassurez-vous, monsieur, Marcus n'est pas mort.

— D'accord, d'accord, je vous crois. Je dois faire quoi alors, je dois venir ?

– Oui, faut venir.

Bernard ne sait pas où son fils a été muté, il ose à peine le dire, de la même manière il ignore également son poste précédent et peut-être même aussi celui d'avant. Il a honte. Il balbutie quelques déterminants indécis, engoncé dans des phrases inabouties pour dissiper le malaise. À l'écouter ainsi sombrer dans un néant sémantique, Yann, qui se souvient de Marcus lui campant son père comme un assisté enraciné, nullement engagé dans la vie, désintéressé, paresseux, indécis et blasé, décide de procéder autrement.

Sur un ton quasi professoral il lui enjoint de saisir feutre et carnet et de noter mot à mot ce qu'il s'apprête à lui dire. Ainsi, il l'informe du lieu où se trouve son fils, *l'hôpital Saint-Rémy à Kerlé, dans le département du Morbihan*, des trains et correspondances pour rejoindre la Bretagne depuis son Sud natal, des heures de départ et d'arrivée, lui propose même de venir le chercher à la gare et lui signifie qu'il y aura des décisions à prendre en concertation avec le médecin, dont il épelle rapidement le nom.

En raccrochant, Bernie presse sur le bouton rouge et du même coup lâche son téléphone qui termine sa chute sur le carrelage du hall d'entrée, son écran brisé de part en part, *Exactement comme Marcus*. Ce soir-là, peinant à s'endormir, le mari qu'il fut, traînard et démissionnaire, abandonné par son épouse, pense à ce père qu'il n'a jamais été, incapable de prendre la mesure de Marcus, son propre fils, gamin unique qu'il a laissé grandir par lui-même, à qui il semble n'avoir, par défaut, rien appris d'autre que de faire autrement.

Et de cela, il est peiné, rempli d'une tristesse pesante et ramassée comme un pavé, son corps pressé contre le matelas, une fourmilière tenace qui chaparde ses jambes et rend le sommeil impossible.

Marcus. Mon fils. Dans le coma.

Bernard a le nez collé à la vitre. Dans le train qui l'emmène en Bretagne, la France défile sous ses yeux tantôt fatigués, tantôt incrédules. Les paysages monotones interrompus par des tranches éblouissantes le renvoient à sa sédentarité excessive.

— Jamais quitté mon village, marmonne-t-il à la dame du siège attenant.

Elle s'en étouffe presque, comment peut-on à l'heure actuelle ? Pourtant, il en tire une certaine fierté, de n'avoir pas procédé comme tout le monde, son fils Marcus *a grandi dans un cadre différent, ça l'a rendu plus fort*, et sur ces mots, de la manière la plus inattendue, Bernie fond en larmes.

D'un geste net, la voisine retire son téléphone pour éviter que les sanglots de l'homme qui pleure ne viennent éclabousser son appareil. Très vite, il se redresse, semble confus, tamponne du dos de sa main le liquide salé et la morve qui glisse sous ses narines.

— Ça va aller ? finit-elle par lui demander, adressant à tout son désespoir un petit paquet emballé dans du papier cellophane. C'est un cookie. C'est ma cuisinière qui l'a fait.

Bernard prend le biscuit.

— Merci, murmure-t-il.

Il en avale une première bouchée.

— Mon fils a eu un accident, il est dans le coma.

Canarde en mangeant et en parlant à la fois quelques miettes involontaires.

— C'est très bon merci.

La dame ne dit plus rien, elle fixe le profil de Bernie, qui mâche nerveusement, elle l'observe comme si elle n'avait jamais rien vu de pareil, un homme dont l'enfant est en danger assis dans un train à chiquer du gâteau.

— Mon Dieu, elle souffle les mots plusieurs fois d'affilée. Vous avez un bon médecin ?

Bernard hausse les épaules, elle a bien compris qu'il n'en savait rien.

— Il vous faut un bon médecin.

Elle attrape son téléphone et compose prestement un numéro qu'elle connaît par cœur.

— C'est à quel hôpital ?

Bernie hésite, puis, miraculeusement se souvient :

— Saint-Rémy, Kerlé, Bretagne.

Puis elle s'excuse et se lève, la base acérée de ses talons arpente le couloir vers la plateforme intermédiaire et elle disparaît derrière la porte coulissante, qu'elle prend soin de refermer derrière elle. *Elle s'en va*, se dit Bernie, *c'est un échappatoire, elle me prend pour un dingue* et il retourne à sa vitre, pour y coller son nez et s'endormir un peu.

— Barvelle !

Elle est de retour, parle fort, s'assoit, retire ses escarpins d'une seule main, brasse une folle énergie à tout faire en même temps.

— C'est le meilleur neurochi de la région, vous demandez Barvelle. De la part de...

— Neurochi ?

— Chirurgien. Neurochirurgien. Pardon, c'est le jargon.

Elle est donc revenue. Avec des informations qui lui semblent appliquées. Elle emprunte un ton sérieux pour les énoncer, ajoute d'autres détails, empile les mots à une vitesse impressionnante, Bernie se concentre pour tout comprendre et retenir en même temps. Elle déblatère les mots *exiger*, *pouvoir*, *droits*, *protocole*, *imposer*, mais surtout elle ajoute *confiance*, qu'elle place à tout va, des dizaines de fois, jeté en pâture dans ce wagon rempli, assorti à toutes ses phrases, *confiance*, *confiance*, *confiance*, prononcé chaque fois le poing levé. Bernard est sidéré, il l'écoute, l'observe, les deux à la fois, c'est un spectacle unique, il n'a jamais vu une femme comme ça. Elle se lève, amorce quelques pas vers la sortie, et le dos tourné, précise en hurlant, à l'attention de Bernie exclusivement :

— En vous-même uniquement ! Les médecins, vous oubliez.

Le train ralentit et la dame est déjà loin. Lorsqu'il s'immobilise, elle descend sur le quai et disparaît.

À peine arrivé, sa valise effilochée tractée à bout de bras, il annonce sur un ton quasi dictatorial, avant même d'aller voir son fils, qu'un neurochirurgien de la région, le docteur Barvelle, duquel il a entendu le plus grand bien, va venir voir son fils. Il grommelle :

— J'ai passé des coups de fil dans le train.

Yann a l'impression d'entendre un patron du CAC 40. La contradiction ne cesse d'enfler, *Mon-père-ce-bon-à-rien*, Marcus n'en parlait qu'en termes négligés, soupirant systématiquement entre la succession de qualificatifs désolants qu'il usait à son propos. Et voilà que le type, tout frais débarqué de son TGV a bouclé en un après-midi un rendez-vous avec le ponte neurochirurgien de la région, au nez et à la barbe de Raymon, qui en a été averti en dernière minute sur demande expresse du paternel.

Dans un premier temps, Barvelle ne trouve pas très agréable d'être consulté pour contredire un collègue. Il se pointe à l'heure dite, sur le perron de l'hôpital, annonçant en préambule n'avoir que quelques minutes pour examiner les clichés. Il reste finalement deux heures. Après analyse du cas Marcus, et sous couvert d'une dialectique prudente, il en conclut que tout est laxiste dans l'analyse de Raymon, *évidemment qu'il aurait fallu intervenir*, soufflant par ses narines l'irrespect que lui inspire le diagnostic de son confrère. L'hématome pas si mal situé, non vraiment, quelle idée d'avoir laissé les premières heures décider pour lui.

— Il va rester dans le coma combien de temps ?

Le père contient mal ses angoisses.

— Impossible à prévoir. Le temps que l'hématome se résorbe. En espérant que ce soit le cas.

— Comment ça ?

Bernie écoute la succession d'informations énoncées par Barvelle. Parfois, il prend des notes, à plusieurs reprises le chirurgien lui épelle même, dans une sorte d'automatisme solidaire, les termes un peu savants.

Il explique qu'une opération demeure malgré tout, quarante-huit heures après l'accident, l'option privilégiée.

— Contredire un confrère, en théorie c'est déjà compliqué, alors dans la pratique vous imaginez un peu ?

Non, le chômeur n'imagine rien, bien sûr, comment pourrait-il, d'abord parce qu'il n'ose pas envisager une seconde que contredire un confrère puisse prévaloir sur la santé de son fils, ensuite parce qu'il ne possède pas la moindre notion de neurochirurgie, forcément, mais pas non plus de ce que peut bien signifier concrètement « respecter un collègue ». Car de collègue, il n'en a jamais eu, le travail en entreprise ou en institution, très peu pour lui, ses seuls collaborateurs sont ceux qui partagent avec lui une partie de boules à l'ombre des cyprès, un expresso brûlant se mêlant aux premières saveurs du pastis.

Et pourtant, il sait qu'il doit faire *quelque chose*, que pour la première fois de sa vie, il a là de quoi être utile, de quoi faire suer ses regrets, bien profondément, jusqu'à en recueillir les excrétions fondamentales et gagner en estime de lui. Alors, courageusement, avec l'expérience feinte du vétéran, le niais du Sud, habituellement imbibé d'anisette, la peau burinée d'un soleil camarade depuis des lustres, obtient peu à peu du spécialiste, à force de manœuvres agiles, qu'il considère rapidement une intervention.

Peu après, Yann vient féliciter Bernie, qui, entre-temps, épuisé par son numéro d'usurpateur, s'est assoupi sur une chaise. Il observe le corps de l'homme tout tordu, la tête délicatement penchée, paupières closes, les cheveux rares et gris, sa peau dorée chiffonnée comme une salade. Leur ressemblance est indéniable. Il se demande, le fixant endormi, dévolu ainsi aux portes de nouveaux rêves, ce qu'il va bien pouvoir faire des jours à venir, à attendre que le destin scelle le sort de son fils. Il tente une caresse délicate sur le haut de son épaule et le père de Marcus reprend conscience, il s'étonne de trouver Yann à ses côtés.

— Y a du nouveau ? s'inquiète-t-il aussitôt.

Yann secoue la tête et s'abaisse à hauteur de l'homme.

— C'est bien, ce que vous avez fait pour votre fils.

Bernie fixe Yann, le blanc de ses yeux évidés, personne ne lui a jamais adressé une telle phrase.

Il hausse les épaules et expulse bruyamment un chat logé dans sa gorge.

— Bon Dieu, j'ai besoin d'un pastis, constate-t-il.

Aussitôt, Yann sourit puis secoue sa tête comme pour poindre un air navré.

— Ici, vous aurez du mal.

— C'est pour ça que je bouge pas de chez moi. Parce qu'ailleurs, c'est jamais pareil.

Sur la table de la cafétéria de la capitainerie, ils sont au moins une dizaine, positionnés les uns à côté des autres, de toutes les couleurs et de toutes les marques.

— Rangez-moi ce bordel ! beugle le commandant.

C'est le genre d'injonction d'intendance qui, par la plupart, tente d'être ignorée.

— Ce sont les Thermos d'Édith, précise quelqu'un. Faudrait lui rendre.

— Eh ben, fonce, soupire le chef. Fonce.

La mission conférée l'indispose, Grégoire n'a aucune envie de sonner chez la dame, lui adresser des condoléances dont il sait qu'elle ne voudra pas. Pas non plus l'intention de souscrire à son obsession de vouloir exhumer son mari des flots.

— Qui m'accompagne ?

— Personne, grogne un comparse au loin.

Une heure plus tard, garé devant chez Édith, le marin débarque la marchandise, en se rongeant les ongles. Disposer les contenants devant la porte, sonner puis partir en courant et démarrer en trombe, c'est à peu près ce qu'il a en tête, mais forcément c'est inconvenant et puis il connaît Anka. Ensemble, ils ont débourbé des ponts entiers, jusqu'au curetage parfois, il aime bien cette fille un peu farouche, sacrément têtue. Comme son père.

Quand la porte s'ouvre, Édith apparaît joyeuse, lèvres maquillées, paupières empourprées, *Pour une vieille, elle est jolie*, pense Grégoire.

– Bonjour Édith...

Il ne lui laisse pas le temps de répondre, vaudrait mieux solder cette entrevue au plus vite :

– ... je viens vous rapporter vos Thermos.

Il lui tend le grand sac, qu'il dépose à ses pieds. Elle constate une dizaine de bouteilles opaques isolantes, de toutes les couleurs, les siennes à n'en pas douter. Elle frémit, non pas de l'amas sous ses yeux qui lui donne une brève idée de son labeur – *obsession*, diront certains –, mais de l'effluve iodé qui se dégage du jeune homme, un relent de jus d'algues qui s'empare d'Édith, la fait trébucher d'un petit pas, presque rien. Le marin ne constate aucunement le désarroi qui se saisit d'elle et s'empale au niveau de l'abdomen. Elle y porte sa main, le souffle entravé, elle se sent minuscule et n'arrive à articuler qu'un *Merci* presque inaudible.

En face, le marin gesticule dans sa paire de bottes identiques à celles de Vladimir, rognant les cuticules de son pouce :

– De rien, souffle-t-il.

Et ajoute, considérant son intervention trop maigre :

– Vos potages sont vraiment très bons !

Il n'aurait pas dû prononcer ces mots-là. Depuis la mort de Vladimir, personne n'avait pris au sérieux ses obsessions culinaires. Anka, Line et bien d'autres l'envisagent comme une joyeuse douce-dingue, dès lors, elle professe sans encouragement ni compliment.

Et d'ailleurs, la saveur de ses potages, les réactions qu'ils peuvent bien susciter chez les *autres*, dans la *vraie vie*, elle s'en fout. Ce qui compte, c'est d'élever Vladimir au rang des immortels. Au même titre, avant la disparition de son mari, l'objectif de ses soupes quotidiennes était, bien au-delà du goût, d'établir un lien.

Avec l'homme des mers, des éloignements et des absences qu'était son mari, elle avait créé ainsi, par les productions de sa casserole, un fil – certains auraient dit une *ligature* –, jonction à la fois légère et presque cimentée qui les aboutait l'un à l'autre. Elle ne dérogeait jamais à lui apprêter un Thermos, il ne dérogeait jamais à le lui réclamer avant de partir. Il savait qu'en préparant ses soupes elle pensait à lui ; elle savait qu'en les mangeant il pensait à elle. Et ça leur faisait du bien. Elle n'avait jamais su, d'ailleurs, s'il appréciait réellement ce qu'elle mijotait. À ses rares questions il répondait *Oui oui*, la double affirmation était systématique, si bien qu'elle n'y prêtait qu'une faible attention.

— Bons ?

Elle pose la question en reculant d'un pas.

— Délicieux. Je suis content de pouvoir vous le dire.

Il semble enthousiaste, bat des cils comme un enfant.

— Mon préféré, c'est celui aux poireaux, parce que vous ne mettez pas de crème, que du bouillon et des patates, et ça j'adore.

Édith ne l'écoute pas, elle l'entend seulement. Ces mots-là viennent de loin, franchissent le mur de la réalité, s'engravent dans ses oreilles et parviennent enfin à son cerveau.

— Votre mari devait adorer ça !

Alors soudain elle éclate en sanglots, posée là sur le perron de sa maison, sous les yeux de Grégoire surpris mais incapable de réagir, de prononcer un mot seulement. Il ne sait vraiment plus quoi dire, il n'a jamais vu une dame de cet âge pleurer de la sorte, sangloter lourdement, des larmes jaillissent de ses orbites qu'elle tente d'écouler avec la paume de ses mains.

— J'en sais rien, j'en sais rien.

Elle répète la phrase au moins dix fois, les mots se confondent dans les hoquets de son chagrin, pour finir confus, presque insondables.

Il pose la main sur son épaule secouée.

— Je suis désolé, je dois y aller, là.

Face à lui, les gestes sont répétés à l'envi : ses mains pour frotter les larmes sur ses joues, le haut du corps semblant danser et des petits cris de détresse poussés en jérémiades.

— Mais je peux revenir si vous voulez. D'ailleurs je vais revenir. Je vais revenir.

— J'étais là quand vous êtes tombé.

Ce sont les premiers mots qu'elle lui chuchote à l'oreille, comme si elle craignait de le réveiller.

Au préalable, Anka a demandé à l'infirmière la permission de pouvoir s'*entretenir* avec le grutier, évidemment c'est un grand mot, elle a rectifié son vocable juste derrière :

— Disons plutôt lui tenir compagnie.

— Vous êtes de la famille ?

La question embarrasse Anka qui secoue la tête avant de la baisser.

— Non, je viens juste prendre de ses nouvelles.

La dame en blanc esquisse un sourire blasé.

— L'événement de l'année, on dirait...

L'aide-soignante suggère une posture voyeuriste et donc forcément désobligeante, à l'opposé des intentions d'Anka, qui d'un coup se sent gênée.

— Ah non pas du tout...

Comment donc lui raconter que le jour de l'accident, le grutier et elle ont failli mourir à quelques secondes d'intervalle, pour deux raisons différentes, au même endroit, l'un à cinquante et un mètres pile à la verticale au-dessus de l'autre. Pour être bien claire il aurait fallu dessiner un plan, constituer une sorte de graphe pour indiquer à la fois la position de la grue, celle de son pilote et où se trouvait, au même moment, Anka.

Elle choisit de se taire.

L'infirmière enchaîne mollement deux, trois gesticulations idoines, puis elle se dirige machinalement vers la chambre du grutier et fait signe à Anka de la suivre. La porte s'ouvre sur une large pièce baignée d'un silence attendu. Le patient est couché sous un drap tiré aux quatre coins, ses deux bras posés par-dessus sont allongés comme des joncs. Une sonde transparente implantée dans son avant-bras se charge de le nourrir. À intervalles réguliers, une sonorité brève et aiguë rappelle à tous la constance de son cœur.

— Je reviens dans un quart d'heure.

L'infirmière remplace la poche bardée de nutriments et de vitamines postée à gauche du lit puis rebrousse chemin, effleurant au passage la main du grutier et, pour la première fois, adresse un sourire à Anka.

— Il est pas mal, hein ?

Elle glousse et s'en va.

Plus aucun bruit. Le silence à nouveau, rompu uniquement par le signal cardiaque. Le moindre tintement est suturé, les bruits sont vidés.

Anka reste un long moment sans bouger. Elle craint de modifier le fragile équilibre, de provoquer des grondements, déclencher un vacarme intérieur, le sien certainement et peut-être aussi celui du corps devant elle.

Elle prend une chaise, la positionne à deux mètres environ du lit, s'assied, croise une jambe par-dessus l'autre et fixe le grutier en pleine face.

— Bonjour Marcus, on m'a dit que vous vous appeliez Marcus.

Un silence pour seule réponse. Elle laisse pourtant un court espace à la réplique, au cas où le miracle surviendrait.

— Votre casque de chantier a failli me tuer. Par chance, il est tombé juste à côté.

Elle rit en disant cela, prend conscience de l'ineptie de sa phrase, d'autant plus absurde qu'il est là, allongé dans ce lit d'hôpital, depuis maintenant trois jours.

— Pardon, reprend-t-elle après quelques secondes. Je suis pas très douée pour parler aux gens dans le coma.

Elle s'excuse à nouveau, à la réflexion, préfère changer de terme, *coma*, c'est une formule appelée à durer, elle aimerait bien ne pas tenter le diable avec son lexique amateur.

— Peut-être que vous dormez seulement ? Que vous êtes crevé. Que ce métier à grimper tout en haut vous a épuisé et que vous vous êtes jeté dans le vide juste pour vous offrir une bonne sieste.

Pas con, songe-t-elle ensuite. *Moi aussi, j'ai besoin de repos.*

Elle se lève, repousse la chaise en métal, les pieds agrippent le lino au sol, ça crisse un peu. Elle fait quelques pas vers la fenêtre, soulève le voile en tulle semi-transparent et au loin, elle aperçoit la mer. Un long moment, elle fixe dans toute son ampleur la masse grise ondulée et exactement comme toutes ces autres fois récemment, l'estomac lourd à lui massacrer le cœur, lâche cette phrase adressée à nulle autre :

— Je sais bien que j'ai perdu.

Puis elle retourne s'asseoir.

— Vous m'entendez ? souffle-t-elle.

Elle aimerait qu'il réponde, être celle par qui le grutier s'est réveillé, une sorte de Blanche-Neige à l'envers, et pourtant elle ne sait même pas à quoi ressemble vraiment l'homme étalé devant elle, elle n'a pas pris le temps d'observer les traits de son visage, elle est venue pour essorer sa culpabilité et pour prendre des nouvelles. On ne regarde pas quelqu'un passer à deux doigts de la mort sans s'émouvoir un peu.

Elle se penche ensuite vers lui légèrement, observe son visage délavé, sa peau crayeuse, deux yeux clos par-dessus des cernes violines.

— Moi je vous entends, elle ajoute. Je vous entends même respirer.

C'est dommage qu'elle ne puisse pas voir la couleur de ses yeux.

Marcus est totalement immobile, pas un cillement, aucun mouvement, les cheveux sont bien coiffés, tirés vers le haut du crâne. Anka se demande qui peut bien prendre soin de cet homme, peut-être a-t-il une femme, une fille ou une mère ? La sienne, si par malheur Anka s'était trouvée sous le casque, talochée jusqu'à l'inconscience, ne l'aurait pas peignée de la sorte. On ne peut pas à la fois faire bouillir la quasi-totalité de la production maraîchère de la région et s'occuper de son enfant.

Il est 18 heures ce mardi, la lumière demeure forte, les rayons costauds du mois d'avril soutiennent le ciel cobalt.

— Mon père est mort, articule-t-elle à nouveau à l'adresse de Marcus.

Elle répète *mort* en détachant le mot, qu'elle martèle trois fois d'affilée.

Elle veut voir si ça le fait réagir. Ça devrait. Franchement, ça devrait.

— Et moi je suis coiffeuse.

L'infirmière débarque comme annoncé, à la minute près, on dirait qu'elle est restée planquée derrière la porte à fixer sa montre.

— Ça s'est bien passé ? Il a été gentil ? s'amuse-t-elle.

Anka ne trouve rien à répondre. Elle rassemble ses affaires et salue Marcus avec maladresse, puis se tourne vers l'infirmière.

— Je peux revenir demain ?

— Pour moi, c'est bon, faudrait plutôt voir avec son père.

— Il vient tous les jours ?

— Depuis qu'il est arrivé, acquiesce la fille en blouse blanche.

— Merci, souffle Anka.

Elle quitte la chambre, se retourne pour s'assurer qu'entre-temps Marcus n'a pas bougé, salue l'infirmière d'un geste vague et entame le long couloir.

Le lendemain, Barvelle a changé d'avis.

— On n'opère pas. On a refait une IRM ce matin. L'hématome s'est légèrement résorbé.

Derrière, Raymon déploie un sourire triomphant adressé entre autres à Bernard qui s'agite beaucoup de ne rien comprendre, s'étouffant presque en une succession de conjonctions réprobatrices.

— Mais... donc... quoi ?

Le chirurgien inspire une pleine dose pour oxygéner son agacement.

— Le docteur Barvelle vient de vous le dire ; rien. On attend.

Bernie recule d'un bon mètre, veut profiter d'une vue large sur ses interlocuteurs, comprendre s'il s'agit d'un petit jeu d'influence entre confrères ou d'une information sérieuse.

— Hier vous approuviez l'opération, ce matin vous changez d'avis : je ne sais pas comment ça se passe en Bretagne, mais chez nous, dans le Sud, quand on dit, on fait.

Barvelle le toise avec froideur, dévisage avec un dégoût à peine masqué sa tenue du matin, tout en survêt, capuche flétrie bavant à l'arrière de sa nuque, une paire de Reebok épuisées aux pieds, il hésite à traiter de tous les noms ce provincial qui n'a pas la moindre idée de ce à quoi ressemble un cerveau et encore moins celui de son fils.

— J'ignore quel est votre domaine d'activité, cher monsieur, mais en neurochirurgie nous...

À ces mots, Bernard l'interrompt sèchement. Gérer patiemment la condescendance des autres, c'est un truc que, dans les cafés près de chez lui, il a mal appris...

— J'ai trimé comme un dingue pour que mon fils ait une belle vie... Alors c'est pas maintenant que vous allez me le foutre en l'air !

Bernard lance la réplique avec l'aplomb d'un dignitaire et Yann, planté juste à côté, n'a soudain plus assez d'yeux pour les écarquiller.

Et il ajoute, offrant ses paumes au ciel :

— Bien compris ?

Ensuite, il fond en larmes. Une explosion de mini globules d'eau saumâtre et pimentée, un marc à chagrin qui se répand tout autour de lui, éclaboussant ses joues, ses oreilles, le sommet de ses épaules. Se trouver là, à la source, un carrefour de raisons, l'angoisse de ne jamais revoir son fils mêlée à la réalité de son oisiveté paternelle démissionnaire dont il a toujours fait une fierté mais qui, maintenant, à l'heure du coma de Marcus, semble creuse comme une balle.

Yann s'approche du vieil homme, lui passe une main réconfortante dans le dos, tente de calmer les vagues de ses sanglots, lourdes et bruyantes. Barvelle et Raymon n'en reviennent pas. Ils sont plantés là, à observer les soubresauts de ce corps rabougri secoué par une succession de spasmes impudiques, et malgré la somme de leurs connaissances, ils se sentent tous les deux pauvrement constitués, humainement dépravés. Une impression que chacun, bien sûr, conserve discrètement pour lui-même.

Voyant que rien ne bouge, la grosse infirmière tente la conciliation.

— L'hématome qui se résorbe, c'est qu'il va mieux, votre fils ! Faut y croire monsieur, ça ne fait que quatre jours.

Elle se retourne vers le docteur Raymon, occupé à ôter nerveusement des bandes de peau en bordure de ses ongles.

— Pas vrai, docteur ?

Instantanément, le médecin se redresse, d'un bref coup de la nuque, il approuve, et ajoute ensuite :

— Mais il faudrait nous faire un peu confiance..., tapotant de l'extrémité de ses doigts habiles l'omoplate malingre de Bernard, dans un encouragement à peine masqué à calmer ses ardeurs.

Yann remercie les médecins au nom du père de Marcus, qui n'est pas en état, les laisse s'éloigner et se jette sur la machine à café voisine, rêvant d'un shot de caféine pour lui remettre les idées bien droites.

Ce matin, Anka est retournée voir Marcus sans prendre la précaution d'annoncer son arrivée à l'infirmière, pas celle de la veille. La porte de la chambre du grutier est ouverte. Elle entre sans permission, s'approche du lit et se demande : *l'homme couché là qui semble dormir simplement est-il en mesure de rêver ?* Le plus probable, selon Anka, est qu'il se trouve dans un état intermédiaire, indescriptible, une sorte de léthargie un rien goguenarde même, à observer de près le léger rictus dessiné sur ses lèvres.

Elle tire la chaise, l'investit délicatement, adapte une position qu'elle estime inconfortable, pose son sac sur ses genoux.

— Bonjour Marcus.

Puis sur le sol.

— Ça va mieux ? Vous avez bien dormi ?

Elle réajuste le propos dans la foulée, à peine gênée.

— Cette nuit, je veux dire. C'est pas simple, hein, de parler à quelqu'un comme vous.

Elle soupire et rit à la fois.

— Je suis déjà venue hier. Je m'appelle Anka.

Elle se lève ensuite, pousse l'étroite porte qui sépare la chambre de la salle de bains minuscule, se retourne vers Marcus :

— Je peux ?

Et referme la porte derrière elle.

Un miroir ovale collé au mur lui renvoie son visage, deux cernes autour desquels s'articulent des traits fins et harmonieux. Elle tapote ses joues pour faire circuler le sang et les rosir davantage. De sa poche, elle extrait un tube d'hydratant pour les lèvres qu'elle applique avec soin, puis du bout d'un index appliqué, termine le travail.

À son retour, bien sûr, Marcus n'a pas bougé. Elle prend place à nouveau, assise tout au bout du lit.

— Je sais pas ce que je fais ici.

Les pieds de l'homme glissés sous les draps forment deux monticules informes dont elle essaie de deviner la pointure. Elle voudrait poser les siens juste à côté, pour comparer. De la même manière, elle se demande quelle peut bien être sa taille et s'étonne de constater qu'il est très difficile d'estimer les mesures d'un corps à l'horizontale. Elle aimerait se coucher juste à côté de lui pour évaluer précisément leurs différences, mais non, vraiment, elle n'ose pas.

— Quand je vous ai aperçu vous balancer dans le vide au bout de votre mousqueton, comme un pantin, là, juste au-dessus de moi, j'ai pensé à mon père. À cause de la position du corps.

Au fond, que l'on soit dans les airs ou sous la mer, l'arrangement d'un corps en perdition est le même, le tronc déployé, les bras répandus de part et d'autre, la tête renversée. Vladimir avait dû perdre connaissance à peu près comme lui, dans le même état, l'organisme devenu soudain plus chose que chair.

Marcus a sans doute les yeux clairs, elle n'en sait rien, une intuition peut-être, qui lui vient en l'observant. Il a trente ans. Ou quarante-deux. De très fines ridules au coin des yeux excavent dans sa peau des sentiers, d'autres plus marquées dégoulinent et enserrent sa bouche comme des parenthèses.

Face à lui, elle essaie de rester immobile un long moment. Ne bouger que les paupières, tenir le reste sous contrôle, parfaitement immobile, ça lui demande une certaine concentration. Anka voudrait ainsi, par mimétisme, lui manifester une solidarité, parfaitement inutile, elle s'en rend compte et relâche tout. S'affaissent d'un coup le corps et l'esprit, solidaires eux aussi, et elle se jette alors en arrière sur le lit, juste sous les pieds de Marcus. Son regard ainsi flanqué au plafond soutient d'épaisses interrogations, elle se sent fuir de tous les côtés, comme si, couchée là, à deux doigts de la mort qui veille sur Marcus et pile à la même distance de la vie aussi, qui de la même manière fait son petit possible, coincée entre les deux, elle bouillonne et soudain ne bouge plus du tout. Sa masse musculaire est plaquée au matelas. De l'intérieur, elle expérimente une série de toutes petites explosions, des détonations de la taille d'un claquement de doigts, chacune entraînant une hémorragie de sentiments et d'idées, les deux confusément emmêlés. Et puis, voilà, les émotions dégoulinent sur les draps, se répandent sur le matelas jusqu'à goutter sur le sol, une pluie fine d'ébranlements et d'émois. C'est d'ailleurs ainsi qu'elle mène son existence depuis tant d'années, sous le règne d'un hiératisme artisan, bricolé en petite vie médiocre, ankylosé à en crever, à teindre du cheveu en fin de vie dans une petite ville de province.

Pour peu, elle se situerait au même endroit que Marcus, à distance égale entre la mort et la vie. Alors elle se relève, prend conscience qu'elle n'a rien à faire couchée, se dit que quand on est vivant on se tient debout et on fait des choix. Elle a soudain l'impression d'entendre sa mère, ou peut-être même son père, elle ne sait plus. Elle s'attache à fouiller dans ses souvenirs pour y voir plus clair, sans comprendre encore que c'est sa voix à elle qu'elle entend là.

Anka se tourne vers Marcus :

– Mon père est mort...

Puis enchaîne :

– ... et toi pas du tout.

C'est bien toute la différence entre eux.

Et elle ajoute :

— Ce sont les gens qui prennent la mer qui s'en vont, se rappelant soudain que Marcus est plutôt du genre à prendre le ciel, du haut de sa grue.

C'est parfaitement l'inverse de Vladimir, et ça l'amuse. Puis Anka éclate de rire, ignore d'où lui vient ce feu d'humour, pour la première fois depuis bien longtemps elle se sent souple et déliée, quelque chose qui s'apparente à l'allègement d'un faix, et constatant cela, se sent prête à s'embraser.

Elle s'approche alors de Marcus au plus près, souhaite lui murmurer bien plus que lui parler. Sans doute lui semble-t-il rassurant de s'adresser à un corps évanoui, pouvoir se confier sans être entendue lui paraît une idée formidable, une implacable façon de s'exprimer sans prendre le risque d'être jugée. *Aux oreilles d'un corps inconscient*, se dit-elle, *je pourrai enfin déposer ma vie.*

C'est exactement ce qu'elle fera. Durant les jours qui suivent, souvent Anka se poste auprès du grutier. Tout à côté de son lit, dans un bavardage quasi continu, Anka l'observe être, tristement allongé dans un silence quasi despotique qui jamais ne cède. Elle approuve de ne pas être entendue, ça la soulage, et d'un autre côté elle veut participer à stimuler Marcus. Bien sûr, la situation est aberrante, elle n'est ni dupe ni idiote, elle s'habitue.

Alors peu à peu, elle lui raconte. Par des mots instables, des expressions chétives, elle campe sa vie comme un cumulonimbus de pointillés jetés dans un désordre fou, des accroches minuscules enfoncées dans un décor chimérique. Parfois, à ses mots, elle attelle des excuses auxquelles elle rajoute sardoniquement :

— Je te raconte ma vie, mais je pourrais tout aussi bien ne rien te dire.

La plupart du temps, elle ne sait plus si elle vient pour lui ou pour elle. La plupart du temps, elle songe qu'être ici, à côté d'un homme qu'elle ne connaît pas, pour tenter de donner un sens à sa vie, même ça, surtout ça, n'a aucun sens.

Édith s'est elle-même licenciée des négociations de vente du *Baïkonour* :

— Ce rafiot, c'est ton affaire.

Ce qui, d'une certaine manière, constitue un soulagement pour Anka. Ça fait des semaines que le capitaine du port est pressé de récupérer le hangar mais, compte tenu des circonstances, se force à faire preuve d'une patience peu habituelle. De son côté, elle procrastine, tire consciemment sur la corde de la bienveillance, profitant grassement des avantages que le deuil lui confère.

Ce mardi, elle y retourne enfin. Cette fois, la porte du hangar coulisse sans bruit, on a passé de l'huile de moteur dans les rouages, ça sent toujours le gasoil et l'écrevisse.

Juste avant, Anka a examiné les offres d'achat compilées dans la revue immobilière du coin, un exercice presque chirurgical, Flan lui a même apporté son soutien mathématique et sa calculatrice. Ensemble, ils ont projeté sans enthousiasme ce que la vente du *Baïkonour* pourrait bien lui rapporter, concluant au terme d'un calcul fouillé qu'elle pourrait en vivre douze ans sans devoir gagner un centime.

Un court instant, elle pense à son grand-père kazakh qu'elle n'a jamais rencontré et se demande une fois encore comment fixer des boulons sur une fusée avait bien pu lui rapporter autant. Vladimir n'en savait pas plus et c'était bien toute l'étrangeté de cet homme, son propre père, venu de Baïkonour soixante ans auparavant, une valise remplie de vêtements mais vide de souvenirs.

Anka passe les deux heures suivantes accroupie devant le bateau, adossée contre le mur longeant le quai. Elle cherche à croiser le regard du bateau, elle voudrait le pilonner de sa colère, l'œil tendu comme une lance, soutenant en retour la honte et le mépris de celui qui a *fait ça*. Elle veut le pousser à la marge de lui-même, qu'il l'implore et lui demande pardon, d'avoir lâché Vladimir en pleine mer, d'avoir manqué à son devoir de protection, d'avoir trahi la confiance du marin. Elle attend un repenti, des excuses, que le maudit s'incline et qu'il supplie.

Alors, elle s'emporte :

— Moi au moins j'aurais su comment te mener à la baguette et te dresser comme un chien ! J'aurais su !

Elle gueule, sa voix froide et embuée résonne vaillamment, les mots chargés d'aplomb s'écrasent contre le polyester de la coque. Et puis elle s'adosse au mur, se laisse aller à l'attraction terrestre, son dos glisse contre la paroi verticale et elle s'assoit. Elle constate alors le *Baïkonour* qui se transforme, de monstre, il subit une série de mutations qu'elle fabule sans peine, puis laisse éclore les parties les plus intimes de son imagination, des souvenirs avec son père qui l'envoient valser dans un passé flou par moments, très précis par endroits, le golfe agité, l'eau couleur saturne fondue. Une fois encore, il l'initie à l'océan avec le soleil et le ciel par-dessous. Il lui prend la main et la guide dans les méandres de sa complexité, cette entité sublime, lâche et grossière qu'on appelle *la mer*. Comment fait-on pour appréhender une telle nature hétérogène, une addition de spécificités qui ne comprend qu'antinomies ou disparités ? Un jour, Vladimir, assis sur le pont, une clope aux lèvres, avait dit à sa fille, un petit sourire lutin en coin :

— Je me tue à t'apprendre l'insondable, précisément pour que tu n'en meurs pas.

Sur le moment Anka n'avait rien compris, aujourd'hui il lui semble évident que son père craignait l'Atlantique bien plus pour sa fille que pour lui-même. Et là, devant l'iconique submersible, elle se demande que faire donc avec *la mer*, cette folle passion, à laquelle il lui a donné tous les accès, lui maintenant par ailleurs si souvent les mains liées derrière le dos.

Sur le quai froid du hangar, Anka résiste à l'humidité fruste qui l'entame par la croupe, l'eau claque au bord, ne s'arrête jamais, il disait ça chaque fois.

— Tu le sais, toi, que j'en étais capable.

Elle prononce les mots tout haut qui ricochent, aussitôt renvoyés d'un mur à l'autre par la surface noirâtre. Elle s'attend à une réaction de la grosse chaloupe, paisiblement immobile. Dans chacune des parcelles du bateau résident les ossements d'une amertume profonde, le regret d'une défiance sans cesse renouvelée, elle sait pourtant, jusqu'aux confins d'elle-même, que son père s'égarait.

Anka se relève, adossée au mur, elle patiente encore un peu, sans raison, puis elle s'avance vers le Cleopatra Fisherman 38 et monte à bord. Depuis combien de temps précisément elle n'a pas posé un pied sur ce pont ? Elle ôte ses chaussures, marche un peu et d'emblée, elle sait. Qu'elle reprend place au juste endroit. Qu'elle atteint le véritable en elle, l'implacable, elle expire :

— Ça faisait longtemps.

Elle se couche sur le dos, respire profondément, ses yeux sont clos, tout son corps soudain dopé d'un oxygène océanique qu'elle inhale à l'excès comme on sniffe autre chose. L'air projeté dans ses narines charrie les petites et les grandes parties de son cerveau, en elle un mécanisme ancien reprend vie, des rouages ankylosés s'engagent l'un dans l'autre, elle entend le bruit d'un moteur qui, posément, se détache d'un long somme et reprend vie.

Flan est penché sur un cuir chevelu rêche et largement dépeuplé qu'il masse avec de l'huile d'amande pour endiguer l'abrasion. Juste en dessous se trouve une dame humblement dérobée derrière de massifs binocles. Le coiffeur a beau chercher ses yeux, ne se présente à lui qu'une paire de foyers triples d'une épaisseur terrifiante. De vieux iris condamnés à disparaître derrière des boucliers de verre, le murmure incessant d'une bouche qui échoue à prendre la parole, mal nourrie par un cerveau devenu avare, et plus loin, des mains qui, même posées sur les accoudoirs, tremblent encore. Flan prend soin de la dame comme d'une porcelaine, ses gestes semblent d'une grande douceur, il procède avec délicatesse. Anka, adossée contre le mur du fond, observe la scène avec une expression de dégoût, son regard cherchant à fuir. Elle demeure dans cette position quelques secondes encore puis décide de se laver les mains, les enrobant d'un savon mousseux qu'elle frictionne de longues minutes durant.

Elle doit parler à Flan. Lui dire qu'elle ne peut plus. Ni cette ville, ni le salon, ni les rues dont elle connaît le moindre pavé.

– Je vais partir, les gars, je vous préviens, si personne ne fait rien, je me casse, j'en suis capable...

Elle s'adresse à elle-même dans l'espoir que quelqu'un intercepte cette conversation. Demander de l'aide n'est pas une démarche aisée. Prétendre être comprise ou bien, pire, attendre de l'être est un exercice auquel elle a cessé depuis longtemps de se soumettre.

– Anka !

Line est entrée dans le salon avec la majesté d'un buffle, elle marche comme d'autres entraînent une garnison, claquant les portes et jetant ses clés sur le comptoir avec la même disgrâce. Puis elle fait le tour des clients qu'elle salue en hurlant pour être certaine de se faire entendre. Ensuite, elle impose trois bises sonores à ses employés, prend le pouls de l'activité matinale et file dans l'arrière-boutique pour préparer en renfort les mélanges de teintures et solder parfois quelques factures.

Anka hésite un instant à l'y rejoindre, s'imagine dans l'enclos réduit de cette pièce à l'écart le parfait moment pour lui annoncer : *Line je m'en vais, je pars à Paris ou peut-être à Bruxelles, peu importe où, d'ailleurs, je change de vie.*

Et puis voilà Flan, qui, depuis un moment, l'observe ne rien faire, l'appelle pour prendre en charge Madame Battiste, sur le point de griller sous son casque à permanentes.

– Tu bouges ou quoi ?

La petite vieille a le teint livide, de son crâne s'échappe une odeur rance, ce remugle foutrement collé à ses naseaux qu'Anka réprouve de tout son corps. Un rejet épidermique, l'inexorable fin d'une tolérance.

Elle en a touché, des textures de cheveux fatiguées, elle en a reniflé, des odeurs de fin de vie, elle en a vu, des tableaux de sénescence. *Je ne peux plus, je n'en peux plus.*

Et pourtant, même aux heures où ses doutes sont le plus vivaces, elle conserve sa conscience professionnelle, le souci du travail bien fait, la préoccupation du client satisfait, fusse-t-il sourd, aveugle ou les deux à la fois.

Anka réprime une envie de vomir, pose sa main sur sa bouche en appuyant fort et délivre l'octogénaire de sa machine à boucler.

— Ça va ? lui lance Flan.

Sous peine de déstabiliser le précaire équilibre de sa digestion, elle ne peut ni lui répondre ni le regarder. Anka s'agrippe à un point de concentration fixe et poursuit la manœuvre. Sous ses mains, elle sent la petite dame délivrer toute sa fragile confiance à la professionnelle qu'elle est, et redouble d'effort pour prendre chaque mèche en charge, délicatement. Mais les pigments ont viré légèrement et tirent désormais vers le jaune. Anka pense ajouter au shampoing un stabilisateur de couleur pour enrayer l'oxydation puis se souvient qu'à l'arrière de ses triples foyers, jamais la cliente ne sera en mesure d'identifier la bévue. Sur le moment, elle laisse tomber, pense plutôt à l'épargne d'une dose de produit et à la petite économie occasionnée pour Line. Elle en est là. À envisager de pingres victoires remportées à coups d'exactions minables. *Je suis essorée.*

Anka détache ses mains du cuir partiellement chevelu et se vautre dans le canapé en Skaï mandarine posé contre le mur. Madame Battiste l'observe se défaire ainsi de ses engagements capillaires, le regard planté dans le vide.

— Ça va, mademoiselle ?

La cliente doit s'y prendre à deux fois, Anka demeure alanguie, plongée un instant en inconscience, comme tant d'autres autour d'elle.

— Anka, ça va ?

Flan est debout, devant elle.

— Je te fais un café ?

Elle ne répond pas, à peine s'est-elle redressée dans le canapé. Elle fixe Madame Battiste avec insistance.

— Vos cheveux sont jaunes.

Elle se lève d'un coup et balance la vérité, franchit la ligne rouge, le truc à ne jamais faire en coloration professionnelle, admettre une erreur ou une malfaçon, avouer au client que c'est moche ou bâclé.

— Pardon ?

La vieille n'entend rien, bien sûr, ça n'est pas une surprise et Anka répète.

— Vos cheveux sont jaunes, en haussant le ton.

Elle hurle presque, malgré Flan qui s'est retourné et lui lance des œillades censées l'alerter.

— Mais pourquoi c'est jaune ?

— Parce que c'est raté.

— Ah bon ? s'étonne Madame Battiste.

Contredite immédiatement par Flan...

— Mais non, mais non.

... qui déjà attrape Anka par le bras et la tire vers l'arrière de la boutique tout en encourageant la cliente à reprendre sa place.

— Je reviens, lance-t-il.

Pourtant, Anka, tractée par son collègue en panique, n'en finit pas de révéler l'exactitude d'une situation devenue embarrassante.

— Mais si, vous voyez bien que c'est jaune ! C'est même pire, par endroits, c'est fluo. Surtout à gauche. Je vais vous refaire. Si mon collègue veut bien me lâcher, je vous refais.

Elle crie depuis le petit couloir qui mène aux toilettes, pestant en parallèle contre Flan :

— Lâche-moi, putain.

Dans la salle, une dame souffle à une autre :

— C'est la fille du marin, tu sais celui qui s'est noyé en mars.

Elle approuve du menton ainsi que d'autres femmes, à qui la précision n'est pas destinée mais qui en profitent tout de même, et, de concert, elles murmurent :

— La pauvre.

Comme une évidence, tandis que Madame Battiste, plantée là, interroge les autres dames :

– Bon, trop jaune ou pas trop jaune ?

Et, depuis l'arrière-boutique, jaillit alors comme l'expression d'un puissant désespoir :

– Trop jaune !

Entre ses mains, un croissant se laisse dévorer.

– Ils sont meilleurs que chez moi.

Bernard ose à peine l'avouer. Ses paupières rouges et bouffies trahissent clairement un état anxieux et désœuvré.

– Ici, on est forts dans la cuisine au beurre.

La petite fierté de Yann à évoquer son patelin se fait à peine sentir, il pense inadéquat d'étaler les qualités culinaires de la Bretagne alors que face à lui, de l'autre côté de cette table en merisier, le coma d'un fils consume son pauvre père.

– Marcus est costaud, il va s'en sortir.

Bernie acquiesce poliment. À la sollicitude des autres, il apprend peu à peu à répondre avec courtoisie.

– Vous connaissez beaucoup de gens qui se sont réveillés sans séquelles ?

Yann n'en sait rien, il ne se souvient de personne qui a sombré aussi longtemps en inconscience, et pourtant il sent bien que le père a besoin d'être rassuré.

– L'infirmière a dit l'autre jour que tout était encore possible. Qu'il fallait y croire.

Ne pouvant s'empêcher d'ajouter pourtant :

– Mais moi, je suis comme vous, j'ai du mal avec les miracles.

– Vous pensez qu'il va mourir ?

Bernard embraie aussitôt, il quémande une réponse, n'importe laquelle, pourvu qu'elle lui offre d'échapper à l'incertitude, cet endroit funeste.

— Votre présence va l'aider, vous verrez.

Yann affiche un sourire frêle, un préambule à l'apaisement, voilà tout ce que le vieil homme implore, des mots simples pour l'assouvir, peu importe qu'ils soient habilement travestis ou même ankylosés d'artifices, pire, qu'il en soit conscient. C'est si facile à offrir. Alors il choisit de raconter le peu qu'il sait à propos de ce qu'il ignore, pensant qu'ancrer Marcus dans le réel rassurera son père.

— Votre fils est amoureux d'une fille qu'il ne connaît pas.

Bernie croit mal entendre, il ne comprend pas, oppose un court silence qu'il brise ensuite d'une succession de petits rires tendus.

— Une... quoi ? Pardonnez-moi, mon vieux, mais je ne suis pas certain de saisir le sens de votre phrase.

Yann hausse les épaules à défaut d'autre chose.

— C'est une histoire folle.

Droit sur sa chaise, dans sa tête, Bernie tourne pourtant en rond.

— Comment fait-on pour s'amouracher de quelqu'un qu'on ne connaît pas ? Il arpente un espace condensé dont il longe les murs circulaires, il manque d'air, s'assèche et rétrécit, il devient un personnage en paille, épouvantail malhabile qui tente vainement d'éloigner le spectre ancien de ses multiples démissions paternelles : *Mon fils, cet inconnu.*

Ainsi, dans cette chambre d'hôpital, vingt-neuf ans plus tard, il a beau venir s'asseoir tout au bord du lit, une jambe en suspension, l'autre posée à terre, l'équilibre est fragile.

À Yann, qui l'observe, il demande :

— On peut la rencontrer, cette inconnue ?

Lequel hausse grossièrement les épaules :

— J'en sais rien, je sais pas qui c'est.

En deux coups de hanche, Bernie remonte le lit et s'approche de Marcus. Doucement, il lui caresse le visage, voilà trois décennies qu'il n'a plus touché la peau de cet homme, le derme de son derme. Il se sent maladroit à passer ses vieux doigts secs sur des joues inertes. *C'est mon fils*, se dit-il à lui-même, *mon fils à moi*. Sa paume s'aventure alors vers l'épaisse chevelure du jeune homme, crinière proprement peignée, tous les brins dans le même sens.

Yann laisse courir son regard sur Bernard et observe là le père idéal, animé sans limite d'une pleine estime pour son fils.

— Vous devez être fier.

À cela, bien sûr, Bernard a du mal à répondre. Il sait toute l'hypocrisie de la conversation, ce qu'il n'osera jamais dire ni à ce jeune homme ni à personne, qu'il n'a jamais levé le petit doigt pour encourager son fils et qu'ensuite il a renoncé à y porter attention. Non pas qu'il en soit réellement détaché mais, passé l'aberration d'une vie d'apathie, que peut-il bien subsister de l'intérêt porté aux gens ?

— Vous êtes grutier aussi ?

Yann pose la question bien qu'il connaisse la réponse et l'espace d'un instant se sent profondément salaud.

— Non, répond Bernie. Moi je ne suis rien.

L'épicière informe le chauffagiste que la fleuriste lui a rapporté, par l'intermédiaire du cafetier, qu'Anka Savidan a raté une cliente.

— Elle était jaune fluo, précise le plombier qui colporte à son tour l'histoire au dentiste.

— À la fin, il paraît qu'elle hurlait, ajoute l'écailler à sa banquière.

— Pauvre Line, soupire-t-elle.

Il acquiesce, concluant avec un rien d'ironie :

— Toute bonne action...

Son vélo partiellement démembré, attelé comme un cheval d'écurie, l'attend sous un abri de tôle bricolé par le fils du boulanger, cinq ans de moins qu'elle et flanqué comme tant d'autres d'un avenir incertain, la barbe rousse qui longe, variablement dégarnie, les côtés de son visage jusqu'à la racine de ses cheveux. Depuis des mois, Anka lui loue un emplacement sécurisé contre un shampoing-brushing quand la mèche, trop longue, vient balayer avec disgrâce son front rugueux.

Sur le porte-bagages, à l'arrière de son vélo, elle pose son sac à main qu'elle lie d'un Sandow bleu marine et se met en route.

À sa gauche défilent des images de grand large, les unes se succédant aux autres à mesure que les roues de son bicycle bouffent l'asphalte.

Derrière elle, l'abîme impérial, remuant des reflets bleus, verts ou gris – lequel, à moins d'un grand soleil, prend le pas sur les deux autres.

Elle prend la première à gauche, s'enfonce dans la ville. Son dos exposé au monstre marin encaisse les bourrasques, les mètres pour l'en séparer s'additionnent les uns aux autres. Et plus elle pédale, plus elle respire.

Elle compte dix minutes pour rejoindre l'hôpital, longeant une nationale de seconde zone, on l'aurait dit posé, long et robuste sur l'arête d'une colline.

Elle adosse l'engin contre un mur à deux pas de l'entrée principale, récupère son sac, et pousse la porte du bâtiment. D'emblée, elle fait face à ces essaims d'hommes et femmes en transit, leur blouse blanche vissée au corps et circulant comme des bestioles à l'œuvre.

Elle avance dans le hall, attrape une cigarette qu'elle allume et dégaine un regard satisfait. Fumer est interdit, mais la mort et le coma aussi, alors elle maintient sa clope fermement serrée entre ses lèvres et compte les secondes en silence. Il en faut trois pour qu'un beuglement quasi démiurge surgisse on ne sait d'où, elle entend des pas grouiller sur le sol juste derrière elle et volontairement ne se retourne pas. Le type, costaud, lui arrache sa tige de tabac, elle n'a même pas le temps d'en tirer une dernière bouffée.

— On est où ici ?!

Il meugle à deux doigts de son visage, collé, tendu. Forcément, Anka s'y attendait. Elle hésite entre lui adresser, faussement naïve, son visage pâle et éclater de rire.

À la place elle articule et désarticule ses doigts tendus face à lui, dans un langage des signes totalement improvisé et sans émettre le moindre son.

L'homme de sécurité fixe les extrémités de ces mains qui remuent sous ses yeux comme des contorsionnistes, un coup de sang l'assaille, fouetté aux joues, devenues soudain cramoisies, envahies par la culpabilité. À l'intérieur d'elle-même, Anka jubile, *C'est pas bien je sais, mais qu'est-ce que j'en ai à foutre ?* Le gros costaud face à elle se liquéfie sur-le-champ, ça la fait marrer. Si ce n'est pas vraiment elle, l'amoindrie, la vraie, Marcus l'est bel et bien, et son père, là-bas tout au fond à nourrir les mérous, aussi. Alors franchement, elle a bien le droit.

L'homme désarme sa colère. D'un coup, hurler lui semble inapproprié, alors il pose une main ferme sur l'épaule d'Anka et l'accompagne à l'extérieur. Là, elle écrase sa clope au sol et repart à l'intérieur en direction des ascenseurs.

Alors qu'Anka s'éloigne, le vigile se demande quelle espèce de dingue, même sourde, peut bien fumer dans un hôpital.

À l'étage, Anka salue l'infirmière, qui l'autorise à entrer.

Elle pousse la porte, la referme délicatement, soucieuse de ne pas faire de bruit, il faudrait pourtant qu'il se réveille. Sur l'oreiller, l'arrière de son crâne est posé pile au milieu. Un gant de toilette oublié par l'infirmière témoigne d'un soin récent, sur le contour de son visage ses cheveux sont encore mouillés.

– Salut.

Comme toujours, elle l'observe. Le visage surtout, le reste, caché sous les draps, prend la forme d'un corps amaigri, elle abhorre la vision de ces deux portions d'organisme tendues à peu près parallèles sous son bassin.

Sur son front, pas une ride ne griffe sa peau diaphane, le légume est tendu, ses joues sont lisses et irisées, on dirait de la cire.

– T'as raison, ne réponds rien, on ne change pas une équipe qui gagne.

Elle n'a rien à faire qu'à s'approcher pour le regarder de plus près encore, comme un objet inestimable. Elle passe sa main dans ses cheveux, de sa paume en guise de brosse, elle essaie de les remettre en place. Elle plonge sa main dans son sac, en sort une vraie et se met, doucement, à le coiffer.

Sur le contour du visage, à droite puis à gauche des oreilles, finement, elle peigne ses boucles brunes, larges, à peine formées. Puis elle glisse son avant-bras sous l'arrière de son crâne et remonte ainsi le haut de son buste inerte, relié par le nez aux machines sur roulettes. Elle passe la brosse encore et encore, active la circulation sanguine de cette partie collée à l'oreiller. Une odeur âcre s'en dégage, Marcus sent le bébé et le vieux à la fois. Elle frotte et frotte encore, finit par lâcher l'objet et du bout de ses doigts aguerris se met à le masser. La tête pend légèrement sur le côté, le menton plongé vers l'avant, elle prend garde à ne pas obstruer la circulation des flux dans les tuyaux. Elle masse encore, de haut en bas, et la nuque aussi. Marcus est lourd, Anka a mal au bras, et pourtant elle s'obstine, les pressions successives de son pouce et de son index s'accélèrent. Elle a l'étrange impression de pénétrer progressivement Marcus, comme si elle creusait en lui un sentier délicat. Elle se met à penser qu'à le masser ainsi elle pourrait bien déclencher, par un processus insoupçonné, son réveil.

— Je veux te réparer, lui souffle-t-elle à l'oreille.

Elle repose alors sa tête, qu'elle tient comme si elle lui appartenait. Elle contemple le parfait accotement de ses lèvres, à peine rosées, ourlées sur le dessus et soudain elle plonge dans son cou, pose sa bouche sous le raccordement de sa trachée, à même le tissu rêche de sa blouse, et glisse, friande et dangereuse, vers le bas.

Dédoublée d'elle-même, elle a le sentiment de planer à la surface de la scène. Pendue comme un mobile, pile à la verticale du grutier, Anka s'observe faire, humer ce corps bardé de tuyaux, le tâter à l'aveugle. Rien qu'à l'odeur et à la forme, les yeux fermés, elle parcourt la surface de Marcus, le nez et la bouche à l'affût, poussée par un sentiment dont elle a l'impression qu'il se délivre enfin, sa conscience pleinement mobilisée. Pour la première fois depuis la mort de son père, elle ressent enfin cette colère profonde, viscéralement logée à l'intérieur d'elle-même, qui la nargue en silence depuis des semaines. Une hargne dont elle perçoit les prémices d'un apaisement alors qu'elle entreprend cette chose, dont jamais elle ne prendra la mesure, embrasser cet homme inanimé, proie fragile, pantin inerte sur lequel elle voudrait pleurer encore mais qu'elle choisit de dévorer à la place. Et plus elle s'empare de lui, écartant le drap et soulevant sa blouse, plus elle calme en elle son tourment. Alors elle continue, se maudit de le faire, mais c'est ainsi. À présent il n'y a plus rien pour couvrir le corps de Marcus, structure à la fois malingre et massive, il est entièrement dénudé, exposé à Anka, qui l'envisage avec autant de dégoût que de fascination. Il pourrait paraître vulnérable, mais c'est au contraire toute sa force, colossale, qu'elle entrevoit et qui lui semble, seule, capable d'absorber sa colère, alors, avec sa langue, elle attrape à la surface de sa peau tout ce qu'elle peut, comme un crapaud, les plis, les ondulations, les cicatrices, les taches. Elle voudrait le recouvrir, comme on applique de la crème hydratante, nourrir le derme en détresse, comme tout le reste d'ailleurs, raviver la carcasse, lui injecter un antidote, un élixir, un nectar, n'importe quoi pourvu qu'il se réveille.

– Je vais te réparer.

Elle s'entend le répéter encore et encore, et cette phrase l'apaise peu à peu. Alors elle se relève, libère Marcus, l'affranchit d'elle-même, le restitue doucement au calme de la chambre, au blanc maculé des murs et aux odeurs de clinique.

Méticuleusement, Anka tire les draps, en recouvre l'homme jusqu'aux épaules. Comme une femme de chambre, elle fait proprement le lit, puis elle entre dans la salle de bains, observe son visage dans le miroir ovale au-dessus du lavabo. Elle fixe un long moment les iris dont elle est pourvue, elle cherche à comprendre ce qu'ils ont à exprimer, une réassurance, une explication, de quoi justifier ce qu'elle vient de faire, mais rien ne vient qu'un tout petit sourire au coin de sa bouche dont elle ignore s'il est l'expression d'un constat ignominieux ou d'une béatitude inédite.

Mai 2012

Il jette le potage par-dessus bord, l'entièreté du Thermos balancé d'un seul geste dans la mer, et ensuite, seulement, il vérifie que personne n'a été témoin de la scène. Il fait ça chaque fois, toujours positionné au même endroit sur le pont, précipitant d'une traite un liquide dans l'autre, la soupe aux légumes d'Édith dans le golfe de Gascogne.

Mais cette fois, Anka l'a vu faire.

Longuement, pendant toute la durée de l'opération, son regard rivé sur les gestes de son père, fascinée autant que perplexe, *Mais bon sang pourquoi donc jeter la soupe de maman ? Pourquoi donc larguer ainsi l'amour de ta femme ?*

Aussitôt, elle détourne le regard, pivote sur elle-même, remballe dans un seul mouvement circulaire geste contrit et conclusions douteuses, pendant qu'à l'autre extrémité du bateau Vladimir ramène le Thermos vide, qu'il range posément dans son sac.

Durant les six heures suivantes, Anka, assignée à la préparation des boëttes, appâts flanqués à l'intérieur des casiers qu'elle doit couper d'abord et fixer ensuite, assise sur un petit promontoire en bois et perdue dans une salopette en ciré gigantesque, les mains gantées de caoutchouc, bien plus pour se protéger du froid et de l'astringence du sel que des odeurs émétiques que les appâts dégagent et dont elle est devenue pleinement familière, vaque à sa mission.

Elle tient fermement un couteau plein avec lequel elle assigne une succession de coups brefs, parfaitement maîtrisés, et tranche les appâts en deux ou en trois parties. Des maquereaux, du colin, du chinchard, de la roussette aussi, qu'elle place à bout de crochet et passe ensuite d'un casier à l'autre.

Son père, au gouvernail, crache dévotement des ordres à son vieux complice qui reporte au nouveau à l'arrière. Sur le flanc gauche du bateau, le matelot œuvre à la réception des casiers pleins, en trie le contenu vigoureusement, les homards chacun dans une caisse, le reste rejeté à la mer ou réservé dans d'autres caissons. Le mousse enfile de gros élastiques bleus sur les pinces des homards et les rassemble ensuite dans un bac commun, la crainte qu'ils s'écharpent entre eux à présent disparue.

À la fin de la journée, ils ont dénombré soixante-dix homards, la pêche a été moyenne. Comme à l'accoutumée, Vladimir remplit son carnet de bord et, pour la première fois, Anka rechigne à l'entendre s'épancher sur les conclusions de la marée.

Le soir, comme un élève complaisant, il ramène sa fille et son Thermos, et Édith en est reconnaissante.

— Alors c'était comment ?

— Délicieux, répond-il par automatisme.

Alors qu'Édith l'interroge sur sa journée en mer, Vladimir cherche à contrecarrer sa culpabilité.

Le temps de ce bref échange, mille fois Anka a envie de le forcer à la confrontation, *Ah oui c'était délicieux, vraiment ?* Mais d'un coup, l'idée d'exposer les failles d'une mécanique amoureuse, usée mais solide, de shooter dans ce qui, vu de l'extérieur, réside en une forme magistrale d'inconsistance, mais qui, de l'intérieur, constitue probablement le socle persistant d'une méthode réglementaire, d'éveiller la possibilité d'un tourment, plonge Anka dans une profonde insécurité et, tout aussi rapidement, elle renonce à son projet. Ainsi, jamais Vladimir ne saura que sa fille l'avait surpris à flanquer à la mer les productions culinaires de sa femme, et jusqu'à la fin de la vie de son père, Anka pensera que de la même manière qu'il leurrait sa femme, il l'avait trompée elle aussi. La mer était sa maîtresse et y résider en solitaire demeurait son seul intérêt.

Flan ne l'a plus vue au salon depuis quelques jours, alors il se pointe chez elle à 10 heures, juste après la permanente de Madame Ivens qui lui a pris deux heures. Il a besoin d'un café.

— Je m'inquiétais.

Elle se trouve là devant lui, dans l'embrasure de la porte, un long tee-shirt faisant office de pyjama, elle porte des chaussettes épaisses en laine moutarde qui lui tombent sur les chevilles. Juste en dessous, une paire de sabots qui fait un bruit de cheval.

— Fallait pas.

Elle lui a déjà tourné le dos, a laissé la porte ouverte, à lui d'entrer ou pas.

Flan la suit dans la cuisine, elle vaque à la préparation d'un petit déjeuner bordélique étalé sur la table.

— T'as faim ?

Flanagan décline, un rien dégoûté par le foutoir ambiant.

— Oh ça va...

Elle soupire, tire un tabouret, se vautre dessus, une tasse de café à la main.

— Oui ça va merci, et toi ça va ?

Son accent suave, pourtant pleinement désaccordé, lui plaît toujours autant.

— Ça va.

— On t'a plus vue. Ça fait trois jours. Line s'inquiète et moi aussi.

— Faut pas.

— Tu l'as déjà dit, ça.

— C'est parce que c'est vrai. Deux fois.

Elle a parfois réponse à tout, c'est une facette d'Anka qu'il n'apprécie pas vraiment. En homme fragile, c'est ainsi qu'il se considère, se revendique même, il déplore qu'elle ne dispose pas, elle aussi, d'un peu d'humilité. Et comme il est bien incapable de prononcer *orgueilleuse*, à la place il lui reproche souvent d'être trop *prétentieuse*. Peu lui importe que ça ne soit pas tout à fait approprié.

— Si c'est pas indiscret, tu fais quoi ?

— Je prends un peu de recul.

Aussitôt, il rit. Cette petite philosophie mêlée au contexte l'amuse beaucoup. Mais les secondes passent et Anka ne le rejoint dans rien, ni dans l'éclat ni dans l'humour.

Aussi, peu à peu, Flan a le sentiment qu'il fait face à quelque chose de plus profond, dépassant sans doute le strict cadre de la mort de Vladimir, une partie d'Anka à laquelle il n'a tout simplement pas accès.

— Je t'écoute, Petite Fleur.

Des mots bricolés, très doux, légèrement paternalistes, comme il le fait parfois, pour la mettre en confiance.

Un long moment s'écoule.

— Je suis amoureuse d'un inconnu.

Elle prononce cette phrase, les lèvres plongées dans le liquide, Flan l'entend à peine, c'est là l'effet escompté. D'une certaine manière, Anka ne veut pas s'en séparer, garder les mots au plus près, comme une prolongation d'elle-même.

Ensuite, ça lui prend une heure entière. De choisir minutieusement ses mots pour décrire l'étrange chapelet de moments que pour la plupart elle n'aurait même pas osé envisager. Il y a des soupçons de fiction dans cette réalité, elle le sait bien, embrasser un homme inconscient, c'est à la fois tragique et kafkaïen, elle privilégie donc la sobriété du vocabulaire pour qu'au minimum Flan puisse croire en son histoire.

Elle décrit alors les baisers posés sans consentement sur un corps inerte, allongé sur le dos, les paumes de ses mains à peine ouvertes au plafond, la liberté arrachée à l'homme couché et ce qui l'a attirée à procéder ainsi, sa peau rêche, diaphane, et toute la fragilité de son état.

— J'ai profité, j'ai abusé.

Elle place les mots entre de fortes respirations, ajoute :

— Il était beau, j'aurais pas dû, mais il était si beau.

Et quand elle a terminé, l'Irlandais demeure silencieux, le regard épinglé au vide.

— J'ai besoin d'une vodka.

Un instant, elle a espéré que se confier à Flan la délesterait de cette masse ferrée à ses épaules depuis deux jours, cette culpabilité additionnée à la honte, une forme de stupéfaction crasseuse, un effarement d'elle-même totalement inhabituel. Mais en réalité c'est bien pire, car à présent elle croit percevoir dans le regard de l'Irlandais de l'aversion et du mépris.

Elle lui sert un shot d'alcool et reprend place en face de lui.

— Tu peux partir si tu veux pas rester.

— J'hésite, répond-il un peu moqueur. Je sais pas ce qui est le pire, retourner sur le crâne de Madame Ivens ou écouter tes *bullshits*. Tu as embrassé son torse et son ventre, t'as violé personne. Peut-être même que ça va le réveiller...

Flan n'a pas fini sa phrase qu'il rit encore, Anka secoue sa tête.

Mais il continue, un rien trop fort :

— Un petit bisou et hop, retour à la vie !

Elle se lève, les mains plaquées sur les oreilles, elle sautille en même temps qu'elle crie :

— La ferme !

Répète encore :

— Tais-toi.

Plusieurs fois, et comme il rit toujours, elle attrape ses clés...

— Fais chier, je me casse !

... et quitte son appartement en prenant soin de claquer nerveusement la porte.

Flan, resté seul, glousse encore.

Puis d'un coup, il vide sa vodka.

La veille de ses dix-huit ans, quelques amis et un reste de famille maternelle groupés autour d'un gigot mitonné par sa mère. Anka déteste la viande, mais plus encore les frustrations culinaires d'Édith, alors elle dit oui à tout, à l'agneau, au confit d'oignons et aux carottes braisées.

Tout le monde célèbre abondamment sa majorité, déclinant le sempiternel concept d'*entrée dans l'âge adulte*, les responsabilités qu'aussitôt certains confondent avec mariage ou grossesses. Anka respire mal, régulièrement elle ouvre la fenêtre sur la mer pour s'y échapper du regard. Elle s'enfuit d'un coup avec ses pensées et son imagination, se les enfile autour du cou, elle se sent arachnéenne, grimpant la falaise entre l'ennui d'ici et les songeries de là-bas, où les flots nébuleux se mêlent à la houle, se noient dans les nuages et embrassent distances et étendues.

Devant elle, on pousse un gâteau et des bougies, qu'elle souffle sans conviction.

Sa mère l'embrasse de tout son corps, son père lui passe une main chaude sur l'épaule, et Line hurle :

— Et maintenant tu peux passer ton permis de conduire !

— De bateau.

Devant tous, Anka sue la phrase en tout petit.

Édith fait semblant de ne rien comprendre, Vladimir fait semblant de ne rien entendre, après tout, depuis le temps, chacun possède sa méthode, en espérant que le temps passant dissolve enfin les obsessions marines de sa chair.

Trois jours plus tard, sans rien dire à personne, Anka décroche le précieux papier.

Avec ses parents, elle n'en parle jamais. Flan n'est pas encore son ami. Elle ne partage sa joie avec personne.

Aussi, elle a le sentiment que la mer est seule à lui dispenser sa fierté.

Dans l'arrière-boutique, Line pose son sac doré sur le plat de la table et désigne la chaise en sapin.

— Tu t'assois et tu m'écoutes.

Posément, Anka prend la place désignée.

— Flan m'a dit que tu n'étais pas dans ton assiette, inutile de te préciser que j'ai à peu près la même lecture...

D'un coup, elle s'inquiète.

— Qu'est-ce qu'il t'a dit ?

— Que ça allait moyen.

Anka sent bien que Line va vouloir creuser ou tendre la main ou chercher à comprendre ou lui demander de s'exprimer, mais Anka n'a la patience de rien alors immédiatement elle y va, s'engouffre grossièrement et lui balance d'une traite :

— Je vais arrêter la coiffure.

Line expire à peine, la regarde l'air de demander *Hein quoi ?*

Anka le sait bien qu'il va falloir répéter les mots à plusieurs reprises, elle n'a même aucun doute sur la finalité de la conversation. Line est propriétaire du salon, la coiffure, c'est toute sa vie, comment sensément lui faire comprendre que, pour sa part, elle n'en a que foutre de l'univers capillaire.

— Tu es triste et en colère, d'accord, mais là pardon, tu dis n'importe quoi.

Anka rit. Aussitôt, l'autre se cabre.

— C'est pas drôle.

— Si, quand même un peu.

— Anka !

— Oui Line ?

— Sois sérieuse une minute.

— D'accord.

Anka laisse filer un temps.

— Je vais reprendre le *Baïkonour*.

Elle a dit ça sans réfléchir, une mitraille à la chevrotine venue on ne sait d'où, retourner à la mer, comment peut-elle exprimer pareille aberration ?

Anka s'assoit, largement plus éprouvée par ce qu'elle vient d'annoncer que Line, qui n'en prend qu'une apparente mesure. Du bout des doigts, elle tremble, son corps parcouru de spasmes minuscules flageole, en quelques secondes, elle a perdu la maîtrise, basculé au-delà des émotions, scellé la boucle originelle.

Le dire, c'est la démarche initiale, l'activateur d'un processus qui la dépasse, auquel elle n'aurait jamais pu accéder sans l'imprévisible outrance de ces quelques mots, *reprendre le Baïkonour*. La voilà précédée par la main tendue du langage qui maintenant la tracte avec la force robuste d'un chenillard et contre lequel elle ne peut rien. D'une certaine manière, elle se sent protégée par cet embouteillage de mots inattendus qui ont foncé tout seuls vers la sortie. Déraisonnables, certes, mais qui lui semblent liés, pour la première fois, à un sentiment congrûment fondé, établi à bon endroit, quasiment familier.

Line tousse bruyamment.

— Tu n'es pas sérieuse ?

Ses mains soudain s'agitent, le son de sa voix tape dans les aigus, les mots crachés dans une cacophonie brutale.

— Tu ne vas pas reprendre ce bateau ! Tu veux tuer ta mère ?

Line a raison, Anka le sait bien.

— Elle est déjà morte.

C'est tout ce qu'elle trouve à dire.

Toute la soirée, Line la passe à tenir la jambe de Flanagan, au titre qu'il est son meilleur ami, qu'elle n'en a pas d'autre et qu'elle compte bien sur l'Irlandais pour remettre sa filleule sur le droit chemin.

— Reprendre ce bateau, c'est d'une connerie, ne cesse-t-elle de répéter en sifflant doucement un Dubonnet rose.

Flan fixe le breuvage, il n'a jamais vu ça, de l'alcool couleur grenadine, il demande à goûter, trempe ses lèvres dans le liquide.

— Infect, conclut-il. Là, tu perds en crédibilité, ma pauvre Line.

Elle le noie ensuite sous les injonctions, ce qu'il faut dire et ne pas dire à Anka, lui repasse son histoire en boucle, celles d'Édith et de Vladimir.

— Tu te rends compte ? ajoute-t-elle à la fin de chaque phrase.

De longues minutes, Flan l'observe s'agiter sur son tabouret haut en bois. Elle pétrit l'air du bar de ses mains, le malaxe pour évacuer le stress quasi incandescent que lui cause cette situation.

— Elle va tuer sa mère, c'est sûr.

Et d'un coup, Flan en a marre d'écouter sa patronne conclure à des catastrophes de petits commerces, comme il les appelle, insupportables prémonitions de comptoir qui ne servent qu'à rassurer chacun sur son propre sort.

— Tu peux arrêter, s'teu plaît ! Tu parles d'Anka comme d'un morceau de bois. Elle a vingt-trois ans, c'est une femme qui a la vie devant elle, pourquoi tout le monde semble se frotter les mains à la mettre dans un petit coin ? Hein ? Foutez-lui la paix ! Tous, toi, sa mère, la ville entière. Elle veut reprendre le bateau et devenir pêcheur, qu'elle le fasse, c'est sa vie bordel ! T'aurais trouvé drôle qu'on t'empêche de devenir coiffeuse il y a trente ans ?

Line ne l'a pas lâché du regard, elle n'est pas habituée à entendre Flan se prononcer avec un tel bien-dire, pour un Irlandais, c'est impressionnant.

— Coloriste ça n'a pas la réputation d'être un métier à risque...

— Et donc parce que c'est plus dangereux que pâtissier ou teinturier, elle n'a pas le droit d'exercer ? Pourquoi faut-il absolument que les gens de province aient des réflexions de provinciaux ?

Le lendemain, Line a alerté la ville entière comme on brait à la peste et le matin suivant Yves, le boulanger, tranche le pain de seigle en silence, le glisse dans un sac et au billet de cinq euros posé par Anka sur le comptoir, lui rend la monnaie en mâchouillant.

— C'est du suicide.

Anka prétend ne rien entendre. En silence, elle récupère deux pièces et s'approche de la sortie. Alors, dans son dos, il ajoute, un rien plus fort :

— Tu n'as ni le brevet ni la maîtrise.

Un petit tas de mots prononcés rondement, au galop, qui la perforent pile entre les omoplates. Elle se retourne, Yves est toujours là, derrière son comptoir, derrière ses mots de merde, derrière sa défiance, alors elle se redresse et d'un coup ça lui échappe, elle perd la maîtrise de tout et lui mollarde à la face :

— C'est ça, contrairement à toi qui as un diplôme de boulanger mais qui fabrique un pain à gerber.

Avant de lui jeter prestement le petit paquet à deux euros cinquante et de s'en aller.

Derrière elle, la colère de l'artisan se déploie à chaque mot beuglé plus fort encore.

— À gerber ? Ah oui ? Et pourquoi tu viens alors ? Pourquoi tu viens ?!

Anka ne répond rien. Elle a quitté la boutique, elle est déjà loin dans la rue, elle s'imagine ailleurs, dans une autre ville surtout. Elle n'a qu'une seule envie, courir se réfugier dans les bras de Marcus, celui qui ne bouge pas, ne parle pas, mais ne juge pas non plus. De là où elle se trouve, elle s'imagine l'ampleur du scandale, et bientôt, la communauté des commerçants, solidaires entre eux par principe, qui s'échinent à déclarer aux uns et aux autres qu'elle ne comprend pas, persistant à entrevoir dans les mots d'Anka une trahison de l'enfant du pays. *On l'a soutenue à la mort de son père, on a tous été là pour elle, et voilà comment elle nous remercie.* Il n'y a que Flan pour les traiter de petits-bourgeois, même Line ne sait plus trop sur quel pied danser.

Les jours qui suivent, Anka reste chez elle, ne sort que pour s'acheter à manger et, au bout d'une semaine, se décide à aller voir sa mère.

Le portail extérieur à peine franchi, elle devine brocoli-carottes, à l'odeur. Sa bouche se tord, il est 9 heures du matin, *Comment fait-elle pour supporter ça ?*

À l'intérieur, Édith décharge un cageot. L'arrivée de sa fille ne change rien, elle poursuit comme si elle était seule, ne lève pas même le visage, son corps tout entier est déjà contre.

Anka s'approche, la salue en même temps qu'elle l'embrasse.

— Je suis contente de te voir.

Édith ne sourit pas, ne moufte pas, ne fait rien, elle relève la tête vers sa fille, lui adresse un regard neutre, presque froid.

— Ça ne se fait pas d'insulter le boulanger.

Et voilà. Anka lance ses bras en l'air, en désordre, elle soupire.

— Tu vas pas t'y mettre toi aussi ?

— Je suis ta mère, si y a bien quelqu'un qui doit s'y mettre...

— On s'en fout d'Yves, c'est un grand garçon, il s'en remettra.

— Non on s'en fout pas. Tu es en train de te mettre toute la ville à dos.

— Oh ben merde alors..., enchaîne Anka, à peine ironique.

D'un coup Édith se lève.

— C'est ici que ton père et moi t'avons mise au monde, dans cette ville, où tu as grandi, où tu es allée à l'école, où tu as navigué, où tu as appris la coiffure et tous ces gens, là, que tu insultes, à travers Yves, ce sont les mêmes qui t'ont épaulée il y a quelques mois quand ton père est parti.

À présent, elle la menace avec son bouquet de brocolis.

— Alors écoute ta mère pour une fois !

Anka s'assoit en partie sur la table de la cuisine, une jambe posée bien devant elle pour maintenir l'appui.

— J'ai décidé de garder le bateau.

Pas un instant Édith ne cille. Bien sûr elle sait déjà, c'est d'ailleurs ce qu'Anka a attendu, que les jours passent, laissant la nouvelle entreprendre seule son petit voyage. Elle se sent lâche et cruelle, petite comme du grain à moudre.

— J'ai entendu ça, oui...

— Je ne te demande pas d'approuver, tente Anka.

Sa mère hausse les épaules, la voilà qui rit. Elle pose le brocoli sur la table et avec le plus grand des couteaux, le fend en deux.

— Alors toi aussi tu vas t'en aller ? C'est donc ça votre plaisir à tous les deux ? Me quitter ?

— Maman, je te quitte pas, je fais ce que j'aime, c'est pas pareil.

Elle s'arrête un instant et la regarde, ses yeux tremblent, gonflés comme deux beaux œufs.

— Qu'est-ce que je lui ai fait à ce rafiot ? Hein ? Qu'est-ce que j'ai fait pour mériter ça ?

Anka soupire, déjà la conversation est engourdie, pétrifiée, venir n'aura servi à rien.

— Vas-y, pars, va rejoindre ton père. Je te ferai des soupes à toi aussi, tiens. Quand y en a pour un y en a pour deux.

— Mais arrête avec ça. Elle explose soudain. Arrête avec tes putains de soupes ! Il s'est noyé, Maman. Il a coulé à cent cinquante mètres sous tes pieds !

Édith tripote les petites branches du brocoli, les yeux fixés sur le légume vert.

— J'achèterai juste un plus grand Thermos, c'est tout...

Alors Anka se lève, se poste devant la fenêtre, les vagues, dociles, cajolent le rivage. Rarement, elles revêtent ainsi la douceur des anges. Elle se tourne vers sa mère, tente de lui soutirer un regard.

— Je dois te dire quelque chose.

— N'en fais rien.

— Papa détestait tes potages. Il ne les mangeait pas, il les balançait par-dessus bord. Tous. Les uns après les autres. Il n'en a pas bu un seul.

Édith se retourne, contemple sa fille d'une manière étrange, on dirait que son regard la transperce, comme à travers une vitre. Puis elle tire une chaise et s'assoit, le haut du corps courbé par-dessus le brocoli dépecé.

— Je suis désolée, Maman...

— Pourquoi ?

— J'en sais rien, il aimait pas ça.

Elle l'arrête net...

— Non.

... et s'approche de sa fille, elle se glisse à ses côtés, au plus près, tout au bord de la même fenêtre, la vue sublime s'offrant à leurs regards meurtris, strictement parallèles et plongés l'un et l'autre dans la mer, par le carreau.

— Pourquoi tu me dis ça ?

— Je n'en sais rien, il faudrait juste que ça s'arrête... Personne ne ressuscite.

— Ah bon ? Tu en es bien sûre ?

Sa mère dit ça avec un aplomb étrange, le ton a changé, elle traverse la cuisine, s'empare à nouveau du couteau et achève le brocoli comme pour en faire du tartare.

— Et le petit grutier, là, que tu t'échines à réveiller en lui rendant visite tous les jours, tu crois pas que c'est pareil ?

Anka est stupéfaite, pétrifiée même.

— Comment tu sais ça ?

Édith déploie un rictus assez bref, puis hausse les épaules.

— Ça n'a aucune importance.

— Comment tu sais !? répète l'autre en hurlant.

— Zélie. Elle travaille à la réception de l'hôpital. Elle t'a vue, elle s'est renseignée.

Sa fille s'assoit à son tour, en réalité elle ne s'assied pas, elle se vautre, le haut du dos qui dégringole et tout le reste semble s'écouler comme un ruisseau.

— Je déteste cette ville.

— Arrête de pleurnicher, sa mère la somme. C'est moi qui t'ai suggéré d'y aller !

— Et alors ?

— Et alors tu y es allée. Exactement comme moi avec mes soupes. On ne crache pas, personne ne crache, sur l'espoir.

En passant devant le bureau, Anka craint l'œil mauvais de l'infirmière, peut-être quelqu'un l'a-t-elle surprise deux jours auparavant, arquée sur le corps du grutier. Mais la demoiselle en blanc la salue comme chaque fois, un bref sourire en coin, pétri d'une pleine confiance en sa visiteuse, la fille du marin disparu, la coiffeuse de Line qui veut reprendre le bateau de son père, la femme en colère qui a insulté le pain du boulanger, celle qui était là, pile en dessous, quand Marcus a chuté.

— Allez-y, y a personne.

Elle entre, referme la porte derrière elle, ses yeux maintenus rivés au sol, elle n'ose pas lui adresser un seul regard.

— Salut.

Devant elle, Marcus, étendu muet, semble scruter le plafond, lui par défaut. Anka avance de quelques pas et choisit de se poser devant la fenêtre. Pour la première fois depuis longtemps, la vue sur la mer lui semble admissible, comme une échappatoire. À ce moment précis, tout regarder plutôt que lui.

Ainsi, elle offre son dos au coma, et sous ses yeux l'océan se démène.

— Je vais te décrire la vue, tiens. Ça te changera du plafond.

Orientée vers le golfe de Gascogne, elle s'adresse à lui, parle fort pour qu'il comprenne, ses lèvres en mouvement sont presque collées au carreau, mais l'entend-il seulement ?

— C'est beau, quand tu te réveilleras, tu viendras voir par la fenêtre comme c'est beau. On dirait la Suisse. Juste là, elle désigne un point du bout de son index, c'est le mont Béloukha, qui culmine à 4 500 mètres. De loin, il ressemble à certaines éminences du Valais, grassement accoutré d'une fourrure verte, des attroupements de sapins pour venir expliquer des pointes plus foncées par endroits, et bien plus haut, une tiare blanche et glacée est posée, souveraine, tout au sommet.

De la même façon, Anka décrit les nuages encastrés dans la roche dure, le vent qu'on aperçoit par endroits toupiller entre les résineux, tout là-haut, elle imagine les marmottes et les renards délaisser les terriers de l'hiver et galoper pour empoigner des débuts de printemps, le soleil cabochard qui canarde les bourgeons, quelques millions de fourmis et autant de perce-oreilles à l'affût d'une terre nouvelle. Elle raconte à Marcus que parfois, rarement, certains lynx blancs y sont aperçus. Les oreilles dressées, ils arpentent les vieux massifs exhumés en bloc et les vastes superficies soustraites aux exploitations de l'homme dont les sols grossiers découragent l'approche.

— Quand il pleut on peut apercevoir dans les versants creusés la végétation s'enfuir, des arbres déracinés versés dans la pente et par-dessous, les terres arables, acculées à des érosions forcées qui rognent et creusent jusqu'à la fin. Si tu ouvres l'œil un jour, je t'emmènerai voir la crête, la toucher même, à 4 500 mètres d'altitude, et je te montrerai ce que l'on voit de là-haut. Si tu savais ce que le monde en hauteur contient de quêtes.

Et au moment où elle prononce ces mots, quelque chose se joue, là, où tout ce qui se dit trouve à peine plus loin une forme d'opposition. Ce que l'on cherche dans les fonds marins, on le retrouve à la cime de tout et c'est ainsi que d'une extrémité à l'autre ondulent les mêmes mélodies.

Elle se retourne vers Marcus, s'approche de lui et pour la pre-mière fois, elle lui prend la main.

– Pardon, murmure-t-elle.

Et au bout d'un long moment, ajoute :

– Je t'ai menti, par la fenêtre ce n'est pas la montagne, c'est la mer.

Il est assis dans sa chambre d'hôtel, penché au-dessus d'un bol de riz au lait qu'il a acheté à la petite épicerie du coin l'après-midi même. Il en profite pour raconter à la vendeuse que son fils est dans le coma, ce qui lui vaut toute son attention. Elle ne daigne plus servir le moindre client, tout occupée à écouter le drame croustillant de Bernard. Après coup, elle s'est amusée de constater que la veille, elle avait échangé avec Ninon, la blanchisseuse qui réside juste en face, à propos de ce que la chute du grutier avait apporté d'attention à la ville. Elle n'est pas allée jusqu'à parler d'un fait de gloire, mais tout de même on a senti qu'elle n'était pas peu fière d'habiter l'endroit où *ça* s'était passé et que si, miraculeusement, le gars s'en sortait, ça amplifierait certainement l'intérêt de la presse.

Alors quand Bernie se présente à la caisse pour régler de trois euros quarante-cinq un berlingot de riz au lait artisanal, elle ne peut s'empêcher de croire à un signe.

Le soir-même, elle traverse la rue et parie avec Ninon que Marcus Bogat va se réveiller, ce dont, forcément, elle s'abstient de parler au père, qu'elle se contente d'écouter longuement, hochant la tête à un rythme régulier, en signe de compassion.

Il est dans sa chambre, le pot entamé, *Pas mal, ce riz au lait, délicieux même,* dans le Sud on en trouve peu de cette qualité, il aime ça depuis des années, quand sa femme était encore là, c'était le dessert du dimanche, la seule chose qu'il sache cuisiner, la seule chose qu'il sache faire.

Il décroche à la troisième sonnerie, un numéro local qui forcément ne lui dit rien.

— Monsieur Bogat ?

— C'est moi.

Il a la bouche encore pleine.

— Votre fils est sorti du coma.

Et de la même manière qu'il n'a pas réellement entendu la voix de Yann quand il l'a appelé pour lui annoncer l'accident de Marcus, il est là, une fois encore, bien incapable de discerner proprement le sens des mots. Il confie froidement le berlingot à la table et pose sa cuillère tout à côté.

— Je... quoi ?

Sa langue tape contre un début de phrase, sa gorge étrangle le timbre de sa voix, ses lèvres, paralysées, n'articulent que des morceaux d'hésitation.

— Il est réveillé. Vous devriez venir.

L'injonction, simple et fluide, le submerge tout entier. Il a le sentiment de manquer d'oxygène, tousse à plusieurs reprises et cahin-caha bafouille :

— J'arrive.

Le reste, le chemin jusqu'à l'hôpital, parcouru à pieds, en courant parfois, lui semble interminable mais d'une apesanteur prodigieuse. Il ne se soucie ni de son souffle court ni de sa condition physique déplorable ; il sue, pantelle à en crever, mais jamais il ne s'est senti aussi léger et puissant. Il franchit, asthénique, les portes coulissantes de l'hôpital comme on vainc la ligne d'arrivée et présente son visage rougeaud à la première infirmière qui passe, essoufflé.

— Mon fils s'est réveillé !

On le fait patienter, il en profite pour prévenir Yann. Au téléphone, il pleure, ponctue chaque fin de phrase par :

— J'aime la Bretagne, j'aime les Bretons.

Comme si, pour une fois, quelque part en France, il trouvait un sens à sa vie. Et Yann, surgi quelques minutes plus tard à peine, trouve Bernie assis sagement comme un enfant, les genoux parallèles et sur chacun, une main posée qui trahit par ses minuscules tressaillements une angoisse évidente. Il s'agenouille face à lui, pose ses mains par-dessus les siennes et en même temps, l'embrasse sur le front. Jamais le vieux père ne lève la tête, il la maintient versée au sol, et dans cette étrange position, lâche un sourire pudique adressé uniquement aux carreaux de balatum.

— Monsieur Bogat ?

La voix interrompt les sanglots qui remontent à nouveau, il se redresse d'un coup. Yann aussi.

— Vous êtes le père de Marcus ?

Bernie s'est déjà levé, il se tient tout droit comme un piquet devant le médecin, un homme qu'il n'a jamais vu, encore un peu il se mettrait au garde-à-vous. Il opine de la tête, dit :

— Oui, oui c'est moi.

Il parle très fort, il veut être là, il veut être prêt.

L'homme lui fait signe de le suivre, ne prête qu'une attention relative à Yann, dont il suppose qu'il est un autre fils. Dans l'ascenseur, il fait état du patient qui subit des examens pour déterminer quelles seront les conséquences éventuelles de ces deux semaines de coma. Bernard grimace, il craint les termes d'un diagnostic défavorable, cherche alors dans les yeux du docteur un commencement de réponse, mais son regard demeure obstinément rivé sur les boutons d'ouverture des portes ; flèches vers l'extérieur, flèches vers l'intérieur. *C'est exactement ça*, songe Bernard, l'iconographie exacte de la vie de Marcus à cet instant précis.

Édith roule en direction du port, la pédale d'accélérateur pressée au sol. Elle n'a pas dormi de la nuit, fouettée par les paroles de sa fille, son corps meurtri s'est retourné sur lui-même des centaines de fois, pourquoi ne lui a-t-il jamais dit qu'il n'aimait pas ses préparations, pourquoi l'a-t-il laissée faire à ce point ? Et au fil des heures qui la rapprochent du soleil, elle se sent désaxée, paranoïaque, formidable, absurde, héroïque et cinglée. Un défilé d'émotions contradictoires alimente, pernicieuses, son désarroi. La nuit lui a ôté tous ses repères, l'espoir, disloqué, prend le large, lui aussi, une fois de plus.

À l'aube, elle débarque dans sa cuisine, arrache à leurs rouleaux des sacs-poubelles qu'elle comble de tous les légumes entreposés dans sa remise, de quoi préparer des dizaines de Thermos pour les marins du port. Ensuite, elle les charge dans le coffre de sa voiture et, devant l'entrée de la capitainerie, les décharge un à un, dans une succession de gestes tranchés.

— Mais vous faites quoi ?

Grégoire, qui a été averti, se pointe alors qu'il boit un café.

Édith s'aperçoit de sa présence, s'arrête net, le dévisage un long moment puis lui balance sèchement :

— Est-ce que mes potages sont bons, oui ou non ?

— Ben, oui, délicieux, je vous l'ai dit.

— Vous m'aviez aussi dit que vous reviendriez.

Le marin rougit instantanément, pris la main dans le sac, bien sûr qu'il n'est pas retourné la voir, au fond il ne se sent pas lié à cette histoire de Thermos, il a juste obéi au capitaine.

– Je comptais, j'ai beaucoup de boulot.

– C'est ça...

Elle se remet à décharger ce qui reste dans son coffre :

– Cinquante kilos de production maraîchère pour nourrir vos petits corps de marins sans défense, à la merci de la flotte et du vent. N'en faites surtout pas du potage, personne n'aime ça, c'est une perte de temps et d'énergie, vous pensez faire plaisir, maintenir le lien entre la terre et la mer, au lieu de ça vous nourrissez la faune aquatique, la saloperie de poissons gloutons qui attrapent bêtement tout ce qu'on leur balance par-dessus bord.

Quand elle a fini, elle ajoute :

– Cher Grégoire, je rends mon tablier.

Elle le lance au sommet du tas de sacs, concluant, à peine cynique :

– Ahaha, jeu de mots.

Puis elle fait le tour de sa voiture et prend place derrière le volant, claquant derrière elle une portière rouillée, que le jeune homme s'empresse de rouvrir aussitôt.

– Vous faites quoi là ?

– Je rentre chez moi.

– Et notre potage, il est où ?

D'un coup bref du menton, elle désigne les sacs de légumes.

– Suffit de les peler, de les couper en morceaux, d'ajouter du bouillon, de l'huile d'olive, et des épices.

Les yeux dans les siens, il la toise un bref instant.

– Bah non, je suis marin, moi. Je vous demande pas d'aller pêcher le mérou !

– Au moins y a des gens pour les manger et pour aimer ça. Moi je fais des soupes qu'on balance à la mer...

Grégoire hausse les épaules.

— Faut vraiment être con pour faire ça.

Édith ne dit plus rien. Elle lâche ses clés de voiture qui pendent au point de contact, le bouquet métallique se balance, alors que, dehors, l'Atlantique serine son aubade de printemps.

— Ne nous laissez pas tomber, Madame Édith.

Intentionnellement, il pose sur les mots un souffle solennel, une tonalité grave, la phrase est gonflée d'émotion. Elle s'en étonne.

— On fait un métier très dur, vous êtes bien placée pour le savoir. Mais monter à bord avec un Thermos rempli, chaque jour différent, l'ouvrir à midi, humer l'odeur qui charge la cabine, deviner chacun à son tour le mélange des ingrédients, puis s'en servir, c'est devenu un rituel, un truc d'équipe. L'espace d'un moment, on a tous les mains chaudes ensemble, à tenir nos bols, et dans la bouche le même goût savoureux. Je ne sais pas qui balance vos soupes par-dessus bord, mais chez nous, je peux vous assurer qu'on vide nos bols jusqu'à la dernière goutte.

Elle l'écoute, le corps entier tout immobile. Le dos bien droit enfoncé dans le siège en cuir pelé de sa Peugeot, elle fixe le lion en métal piqué au centre du volant.

Sans rien ajouter d'autre, Grégoire fait le tour de la voiture, ouvre le coffre, y charge les sacs pleins, puis il retourne aux côtés d'Édith, et exactement comme on décolle une moule d'un rocher, retire du volant la main gauche de la veuve qu'il entoure de ses dix doigts secs aux ongles coupés court.

— Édith. S'il vous plaît. Toute la capitainerie compte sur vous.

Dans le regard qu'elle lui offre en retour, il décèle le réveil d'une vitalité, un morceau de reconnaissance. À présent, elle est son obligée et contre vents et marées, il se le jure à lui-même, il la portera à bout de bras, quitte à lui mentir encore.

Elle bafouille un son qu'il ne comprend pas, présume une sorte d'accord tacite, ensuite elle allume le contact et démarre calmement.

Les bottes enfoncées dans une flaque d'eau salée, Grégoire l'observe s'en aller et salue du même coup un collègue qui passe par là.

— C'était qui ? demande-t-il.

— La veuve de Vladimir Savidan.

— Celle qui fait les soupes ?

Il acquiesce aussitôt et l'autre marin se met à rire.

— Ce jus de torchon qu'on balance par-dessus bord ?

— C'est ça, approuve Grégoire.

Puis, par maigres foulées, il retourne travailler.

C'est lui que je vois en premier. Le même qu'avant mais avec des cheveux gris, il est aussi plus petit. Je me sens enserré dans une brume dense, je les vois entrer, l'un derrière l'autre, en file indienne, un peu comme à l'école ; mon père dans la position de l'élève docile, j'ai du mal à comprendre ce que l'autre fait juste derrière. Le docteur m'a dit que je me réveille d'un coma, je me demande bien quel jour on peut être. Quelle heure est-il ? Où suis-je ? Je veux ma grue.

J'ai mal à la tête, mes jambes sont lourdes et molles, mes bras ne trouvent le chemin de rien, mes mains terminent une longue sieste.

Mon père s'approche, de plus en plus près, ses yeux délivrent des larmes ventrues qui terminent sur mon front, qu'il embrasse. J'ai l'impression de sentir la neige pour la première fois.

— Pourquoi tu pleures ?

L'autre est resté près de la porte, je le vois qui m'observe, il doit avoir un prénom, quel est-il ? Je suis trop fatigué.

L'infirmière déboule à son tour, ses mains tranchent l'air régulièrement. Elle parle tout bas et ensuite très fort, elle caresse le dos de mon père, n'abandonne jamais son sourire, à l'autre elle dit :

— Je vous invite à boire des coups pour fêter ça.

Ça fait rire mon père.

— Et moi, je peux venir aussi ?

Bernard Bogat, penché sur moi, comme c'est étrange.

— Ça va fiston ?

À présent, il me caresse la joue.

Je tourne la tête sur le côté, mes yeux se ferment, *Si tu m'aimes vraiment, laisse-moi dormir.*

Je voudrais gravir des marches, sortir d'ici et monter plus haut.

Le grand gars du fond s'approche à présent, je ne le vois pas, je le sens. Je garde les paupières closes, je me demande ce qu'il va faire.

— Marcus ?

Il souffle mon prénom sur mon visage.

Il me connaît.

Pourtant, ni le visage, ni l'odeur, ni la voix.

Et d'un coup ça m'agace. J'ouvre les yeux, je le fixe, il me sourit, ses pouces levés vers le plafond qui rebondissent plusieurs fois dans le vide. Je veux savoir.

Je m'active, je tente de faire ma mémoire comme on fait les poubelles.

Il brait :

— Je te paie des coups à la sortie !

Tout le monde veut boire, on dirait.

On m'a planté une canule dans l'avant-bras, le drain court jusqu'à la machine et pourtant j'ai envie de tenir un verre d'eau entre mes doigts, de laper, de déglutir à la chaîne.

La porte s'ouvre, l'infirmière part, le médecin entre, la porte se ferme.

Il serre la main de mon père et celle de l'autre aussi. Dans ses bras, il tient comme un nouveau-né une farde administrative bleu acier, s'assoit sur mon lit, prend soin de n'écraser aucun de mes membres, ce qui, pour un médecin, est avisé. Et il se met à parler. Il a le sourire aux lèvres et les mots viennent s'empiler par-dessus. C'est fou ce que les gens autour de moi ont l'air content.

Je referme les yeux et je pense *Qui suis-je ?* Ça demande une concentration extrême, dont je ne suis pas encore capable. J'observe le noir à l'intérieur de mes deux globes, plutôt gris par endroits, les mots du docteur vont et viennent, certains explosent au premier plan, d'autres remuent à peine et puis disparaissent. Je comprends *rééducation* et *patience*. Je ne suis pas surpris par les termes utilisés, si j'avais été le médecin, à me voir couché là, je n'aurais pas dit autrement. L'idée de m'éduquer à nouveau à ma propre vie me plaît, mais à quelle vie précisément ? Si seulement je savais, suis-je capable de cuire un poulet en entier ou de conduire sur l'autoroute ? Ai-je déjà demandé un autographe à une star ou porté des Birkenstock ? Mon amoureuse a-t-elle déjà vu *Le Parrain* ? Et surtout, en ai-je une ? J'ai tout oublié.

Sauf ma grue.

Je veux ma vue.

Je veux la brise qui chaloupe et la tempête qui fouaille, extirpe et déracine.

Ces deux-là, je veux les sentir mélanger mes cheveux et souffler sur mes doigts.

Observer les maisons comme des Lego et la ville étendue sur son tapis de jeu.

Je veux tous ces gens minuscules qui courent aux extrémités de la ville.

Je veux retrouver mon petit pays tout là-haut où les lois ne font pas la morale.

Il faudrait que je puisse parler ou poser des questions ou m'affirmer, ça aiderait. Mais je n'ai pas envie de m'essayer à la parole maintenant. Si ma voix prend de la hauteur, si par hasard ils m'entendent, mes yeux devront rester ouverts, je ne pourrai plus retourner dans le noir sous mes paupières.

Alors je me tais et, déjà, avant même qu'on me l'impose, je prends patience.

Le capitaine du port est contre, Pierric aussi, l'ensemble des anciens collègues ont également manifesté leur inquiétude à la voir reprendre le *Baïkonour*, mais Anka n'y voit là que l'expression phallocrate d'une bande de canotiers conservateurs, inaptes à supporter qu'une femme puisse traîner son savoir-faire dans leurs sillons iodés.

Ce lundi d'avril, accompagnée de Flan, le seul à se foutre complètement de ce qu'une femme peut bien avoir d'empêchements supplémentaires à accéder à la mer, elle sort le morutier, salue le hangar d'un regard en arrière. Devant elle, le port ronfle avec le moteur, la surface de l'eau, glauque et olivâtre, assume des résidus d'ordure, copeaux de ces vies nautiques distribués par mégarde aux poissons de bassin.

Et plus loin, par-delà la jetée, l'Atlantique.

Anka se détourne vers la pompe à essence, à flanc d'appontement. Le vieux Pierre s'y trouve, assis sur son tabouret en métal. Il la salue d'un geste de l'avant-bras et reste planté là, à regarder le *Baïkonour* s'avancer vers lui. Bien sûr, il doit penser à Vladimir, mais de là où elle se trouve encore, elle ne voit rien du tremblement de son menton entraîné dans le chagrin par sa lèvre du bas.

D'emblée, il se place tout au bord du quai pour anticiper l'inertie du bateau qu'Anka a pourtant l'impression de maîtriser, elle se figure alors bêtement qu'il doute de ses capacités à présider à la manœuvre et se vexe.

— Le plein de diesel, s'teu plaît.

— C'est parti.

Le vieux sifflote pour se donner une contenance, il affaire sa carcasse fourbue et offre, royal, un sourire à Flan, qui larde au soleil sur le pont. Saluant d'une main un client à pied, il plonge de l'autre la flèche dans le réservoir du bateau et embrasse le type qui sans attendre lui demande s'il a entendu la nouvelle.

— Quelle nouvelle ?

Pierre grogne, pas sûr de bien cerner le sujet.

— Je sers la demoiselle et je suis à toi.

Mais l'autre, trépignant, ne peut s'empêcher de lui tousser :

— Le grutier s'est réveillé !

Sur le pont latéral, Anka effectue un nœud d'ajut qu'elle délaisse aussitôt. Elle relève la tête, le regard vissé sur le client qu'elle ne connaît pas, elle lit sur ses lèvres bien plus qu'elle ne l'entend, pourtant sa voix braillarde articule parfaitement les mots.

— Réveillé depuis hier. Médecins optimistes. Récupération possible. Patience.

Anka s'assied, le haut du dos adossé au travers tribord, elle lâche les cordes. Le plein est fait, Pierre lui réclame son dû, il répète trois fois :

— Quatre cent vingt-cinq euros, s'il te plaît.

Flan entend le type pérorer son scoop au pompiste, et observe le lent affaissement de son amie sur le pont en bois de balsa stratifié. Elle est assise, fixe Flan, ne dit rien, sourit.

— *Darling*, tu dois payer le monsieur.

— Il est vivant.

— *I heard*. C'est fou.

Elle se relève alors et, depuis le pont, perchée sur le sommet de ses orteils, elle crie au passant :

— Comment vous savez qu'il est réveillé ?

Le type se marre.

— Toute la ville est au courant.

Les jambes d'Anka tremblent.

— Toute la ville est au courant, répète un peu bêtement Anka. Sauf moi.

Elle éclate de rire, c'est tellement son histoire à présent, d'être *en dehors* de la ville. Elle va et vient sur le pont, de long en large, les mains crochetées dans son cuir chevelu et, juste à côté, Flan se marre à son tour.

Et c'est ainsi, parée du retour à la vie de Marcus, qu'Anka prend la mer pour la première fois seule aux commandes du *Baïkonour*, Flan tout à côté pour être là et ne rien dire, le grand large déployé devant elle comme un vaste tapis bleu. Les mouettes par-dessus le morutier volent et chantent l'avènement d'un premier jour, le reste d'une vie, une naissance peut-être et, de l'autre côté de la ville, Marcus dort profondément, de ce sommeil nouveau, celui qui laisse au réveil la possibilité d'être. *Récupération possible.* Se rejouer, au beau centre de la mer, les mots du gars qui passait par là et qui, comme Jésus, délivre la bonne nouvelle : *ressuscité.*

Anka éteint les moteurs, rapidement le bateau s'épuise en inertie, le silence advient, aussitôt les vagues, vigoureuses, s'emparent du *Baïkonour*, l'envoyant allègrement guincher. Anka en connaît les oscillations par cœur, leur musique encore mieux ; petite, elle s'en shootait carrément l'estomac.

— Laisse-moi trois minutes.

Elle lâche la phrase et embrasse Flan sur le front, qui reste planté là, dans la cabine, sur la banquette, à la droite du poste de pilotage, à prier pour ne pas vomir.

Elle avance jusqu'à la proue, là où la houle triomphe, s'appuie contre la balustrade qu'elle tient fermement. Grandiose, l'océan, sous elle, fait magistralement le beau. En apparence il n'a pas changé, mais depuis peu il est tout autre, l'ogre d'une tragédie humaine puisqu'à présent il possède son père. Il l'a gobé comme un poisson ordinaire et dans ses bras le tient bien serré pour l'éternité. Alors par assimilation elle consent à appartenir à cette masse folle, elle aussi, à ses profondeurs immergées, elle devient à présent et par obligation la fille de l'Atlantique.

Ce jour du 11 mai 2016, à peu près au même moment que Marcus Bogat retrouve la vie, Anka Savidan, comme la mer avant elle, tue le père.

Je suis assis. L'infirmière me dit qu'elle est heureuse de me voir dans cette position. Je ne comprends pas tout de suite ; elle précise :

— Je ne vous ai connu que couché.

Et aussitôt elle rit. Et moi je ris aussi. Mais de quoi, bon Dieu ? Assis, couché, si l'on doit patienter pour vivre, quelle différence ?

J'aimerais dormir et réfléchir ensuite, bien plus tard, mais l'infirmière dit :

— Je suis là pour vous stimuler.

Alors je reste éveillé. Je l'observe masser mes membres, lever mes jambes pour étirer mes muscles. Elle me touche d'une manière surprenante, parfois je ressens des explosions électriques, depuis l'intérieur de moi-même je perçois mes nerfs émerger d'une profonde léthargie. C'est un peu mon printemps intérieur où tout éclôt à nouveau. Les mains de l'infirmière sont agréables à ma peau, presque familières, mon corps laissé ainsi à la merci d'une inconnue semble apprécier.

— Elle est pas revenue, la jeune femme ?

Je tourne la tête, je ne suis pas certain d'avoir bien compris, alors pour marquer la présence d'un doute je fronce les sourcils.

— La jeune femme qui est venue plusieurs fois, la jolie avec ses yeux en amande, elle est pas revenue ?

Elle se répète, je hausse les épaules.

— Faudrait essayer de parler un peu, Monsieur Bogat, quand même, ça aide pour se faire comprendre.

Je la regarde, sur son visage en mouvement je m'attarde longuement, tandis qu'elle me fait *ouh-ouh* de la main droite.

— Les cordes vocales, c'est comme n'importe quel muscle, ça se rééduque. Elle m'encourage :

— Allez, on va essayer !

Le petit manège dure une heure, durant laquelle je tente des sons, je n'ai la maîtrise de rien. Ensuite, il faut articuler et reproduire une à une les lettres de l'alphabet. J'ai l'impression de m'exprimer comme un chat, je suis aphone et maladroit. Je me souviens de la mue de mes quinze ans, je repars quelque part en enfance, le cerf-volant que j'agitais dans le ciel le dimanche pendant que mon père dormait encore, se reposant inlassablement de ne rien faire. À l'infirmière, je parle en morse, elle rit parfois et ça me plaît.

— C'est bien, on avance on avance ! Dans une semaine vous serez aussi bon speaker qu'Obama.

Ensuite, elle remballe ses affaires.

— La séance est terminée ! Faut dormir un peu maintenant, Monsieur Bogat. Et elle s'en va.

Elle ferme la porte derrière elle mais laisse la fenêtre ouverte. Sur la mer. J'entends les vagues au loin, je sens le sable mouillé. *Tiens, l'océan n'est pas loin. Ça n'a rien d'un souvenir, c'est une découverte.*

Et puis la porte s'ouvre à nouveau et voilà mon père, toujours suivi de l'autre. Debout dans l'embrasure, il me sourit. Je l'observe, ses épaules larges sous sa veste de printemps, et je me rends compte que je le connais très mal, dans cette position verticale.

Il a passé sa vie assis ou couché, des jours entiers ne se levant que pour aller pisser, scotché à sa télé-pastis, devant des parties de boules en éructant bien fort à quel point il aurait fait mieux.

Alors là, pour la première fois, posé sur ses deux pieds, son corps largement déployé me semble fort. Il s'approche et m'embrasse, s'assoit sur le bord du lit, il tremble, sa main essaie d'atteindre la mienne. Sidéré, j'observe la scène comme un laborantin.

Et voilà l'autre aussi.

— Salut camarade !

Je baragouine quelques syllabes, il fait semblant de comprendre.

— Yann a quelque chose à te dire.

Mon père embraie aussitôt, personne n'a envie de m'observer marmotter comme un bébé.

— Tu te souviens de la fille dont tu étais amoureux juste avant l'accident ?

Une fille ? Encore ! D'elle non plus, je n'ai aucun souvenir.

Dans un regard insistant, mon père m'encourage à la réponse, je ne sais pas quoi dire ni même comment l'exprimer.

Amoureux ? Bien que l'idée me surprenne autant qu'elle me réjouisse, je hausse les épaules, dans ma bouche naissent quelques mots esquintés.

— Je sais pas.

— Tu es amoureux d'une fille que tu ne connais pas. Elle est coiffeuse, mais tu ne sais pas comment elle s'appelle. Elle habite à Kerlé et depuis ta cabine tu avais repéré son appartement, mais tu ne m'as pas dit où c'était. Ça ne te dit rien ?

Je baisse les yeux, honteux d'être incompétent à ma propre mémoire.

— Juste avant l'accident tu t'étais enfin décidé à l'aborder.

Je l'écoute me raconter ma vie d'avant, les souvenirs ont disparu, il semblerait que jamais rien ne soit advenu. Je suis là devant eux et je ne parle qu'à mon silence. Je fais non de la tête, je me tourne vers la fenêtre et je ferme les yeux.

Mon père me caresse la joue, j'ai neuf ans, peut-être dix, il chuchote à Yann :

— Il est fatigué, on s'en va, on reviendra plus tard.

Et je suis seul à nouveau, reclus sur l'hémorragie de mes souvenances et jusqu'à ma vitre entrouverte vient gémir l'aquilon.

Dans le hall d'entrée, la pluie martèle la vitre percée dans le toit, un bruit de tambour régulier mêlé à la symphonie des ustensiles de cuisine qu'Édith manipule dans la pièce à côté. Anka pose son sac à main sur le vieux banc sculpté, ôte son manteau en laine, le sourire aux lèvres.

– Je suppose que tu as entendu que ton ami grutier était revenu parmi nous...

Sa fille approuve en silence, l'embrasse sur le front en guise de salut.

– Alléluia ! enchaîne Édith, les bras levés au ciel. Tu vois que les miracles existent !

Elle est debout devant le frigidaire, à présent ses mains sont posées sur la partie basse de son tablier et s'affranchissent du sel et de la graisse. Anka l'observe faire, s'amuse de l'abusive euphorie de sa mère, qui s'agite et rigole à la fois.

– Il paraît qu'il ne se souvient de rien.

Anka attrape une carotte, croque l'extrémité sans avoir pris la peine de la peler et recrache la queue finement affûtée de la racine.

– Tu es allée le voir ?

– Je vais devenir capitaine de pêche, je me suis inscrite à la formation.

Anka parle enfin. L'annonce est pour le moins inattendue, malgré ça Édith ne cille pas, on dirait que les mots sont passés à côté d'elle.

— Ça ne répond pas à ma question.

— Non, j'ai pas été le voir.

— Tu devrais.

Anka se tord la bouche, au milieu de son visage apparaît une expression de dégoût. Au même moment Édith, tire à elle une escabelle posée dans un coin de la cuisine, la pose au pied d'une armoire et, comme on arrache des rideaux au soleil du matin, l'ouvre à deux mains.

Elle grimpe sur la margelle, les pointes de ses pieds se tendent pour récupérer une boîte en fer vide logée tout là-haut, sur l'étagère, qu'elle dépose sur la table. Puis, d'une armoire coulissante elle extrait un sac en lin qu'elle vide avec soin dans le coffret métallique, le dépose ensuite devant sa fille, délicatement, soutenu uniquement par ses paumes largement ouvertes, exactement comme les Anciens offraient une obole.

— Je les ai faits hier matin.

Anka recule, le pas en arrière est léger, le mur contre son dos ne bouge pas, elle doit s'y enfoncer un peu pour établir entre elle et le récipient un maximum de distance.

— Qu'est-ce que tu veux que je fasse avec ça ?

— Comment qu'est-ce que je veux que tu fasses avec ça ?! Que tu lui apportes, bon sang !

Un temps minuscule effleure, il prend place entre la mère et la fille, se déploie grassement, comme une goutte d'huile, Anka pense *Je n'ai plus de mots pour lui dire*, et pourtant elle glapit déjà.

— Tu peux arrêter avec ça ?

— Arrêter avec quoi ?

Elle fait l'idiote, ou exprès, pour Anka ça ne fait aucun doute, elle s'amuse à diffuser le mythe de la reproduction mère-fille, ce qu'a fait Édith, sa fille y est condamnée aussi. Il n'y a pas de hasard, pas d'accident, ce qui advient n'est que des faits. Vladimir noyé, Marcus tombé, les deux femmes condamnées à croire à leur retour, à les attendre comme l'enfant misérable espère le retour de sa mère disparue. Anka ne veut rien de cela, se sent étrangère à ce tourbillon mortifère où l'espoir fait office de sauveur alors qu'il creuse la tombe d'Édith un peu plus chaque jour. Alors, une fois encore, elle gueule.

— Personne ne ressuscite personne. Il se serait réveillé avec ou sans moi. Il n'y a pas, il n'y a jamais de miracle, il n'y a que des vivants ou des morts. Les morts on les enterre, les vivants on en prend soin.

C'est gratuit, ça n'a aucun effet, mais elle le fait quand même. Si ça n'a pas suffi de lui avouer qu'il détestait ses potages, elle ne peut plus rien.

Et d'un coup, le petit discours cesse, retourne sagement d'où il est sorti, un endroit qu'Anka maîtrise mal et dans l'intervalle Édith n'a pas bougé d'un centimètre, rien dans son corps ne s'est déplacé, hormis ses yeux qu'elle fait rouler comme des billes.

— On les enterre, on les enterre...

— C'est une expression, bordel !

— Ne sois pas grossière comme ça.

Anka la fixe un long moment puis elle laisse ses bras dégringoler le long d'elle-même. Ils pendent comme de lourds fardeaux, le poids d'une incompréhension qui les tient serrés dos à dos, un pilori abject, d'une grande incivilité, pense-t-elle, planté entre les deux femmes, aux couleurs de l'infaisable deuil.

— Tu devrais reprendre des études. Pourquoi pas assistante sociale ou infirmière ? Une fois qu'on a sauvé quelqu'un du coma on peut tout faire.

Édith sourit, elle est satisfaite de son bon mot, s'approche de sa fille, se penche vers elle, la boîte de biscuits tenue fermement entre ses mains.

— Va lui déposer, tu verras.

Et l'embrasse. Anka se laisse faire, les mains prises par la production pâtissière de sa mère, l'odeur fruitée de son cou mêlée à celle des biscuits frais.

Elle se tient prête à partir, sous l'embrasure de la porte de la cuisine, le contenant et le contenu coincés sous son bras gauche.

— Tu les donnes de ta part, précise encore Édith.

Sa fille opine sagement, lui adresse un sourire tendre.

— Je vais les garder pour moi. Tu ne m'as jamais fait de biscuits, ceux-là je les garde pour moi.

Elle s'en va et curieusement elle se sent légère. Entre les pavés de la chaussée, la pluie produit des petits torrents, l'eau s'encourt en aval, jusqu'au port un peu plus bas, tout l'espoir du ciel ruisselant jusqu'à la mer, comme des larmes épuisées.

J'ai compté vingt-sept nuits depuis mon arrivée au centre de rééducation. Yann vient me voir deux fois par semaine, il emprunte l'autoroute A67 depuis Kerlé et roule quarante-cinq minutes dans ma direction. Je suis une destination en soi. Au début, j'arrivais à peine à tenir debout, maintenant je cours avec la dextérité passée, je parle à nouveau normalement, les mots se sont mis en ordre, leurs notes ont retrouvé le tempo et le sens avec. C'est doucement la fin de ma chute, j'ai bien bossé semble-t-il. *Ils* sont fiers de moi, car tout est comme avant, me dit-on, seul mon auriculaire gauche est récalcitrant, il refuse de répondre aux injonctions de mon cerveau. J'apprends qu'il ne bougera plus jamais et je remercie ce qui peut l'être d'avoir crucifié ce doigt-là et pas un autre, sans lequel je n'aurais plus pu conduire ma grue. L'équilibre de la main aurait été rompu. Le petit doigt je m'en fous, dorénavant je me gratterai l'oreille autrement. À chacune de ses visites, Yann me raconte un morceau de ma vie, ce qu'il en sait du moins.

— Tu es un des meilleurs grutiers de France, m'a-t-il dit l'autre jour.

Et je m'étonne de découvrir à mon propos des informations épatantes.

Et cette fille, la coiffeuse, celle que j'ai suivie et cherchée à l'obsession, comment le corps fait-il, même accidenté, pour en effacer les traces avec autant de précision ? D'elle, il ne me reste rien, pas même son souvenir. Un jour, l'esprit tout entier est dévolu à quelqu'un ou quelque chose, et l'autre, tout se perd. Sont tombées avec moi les reliques autant que leurs racines les plus profondes, il ne reste plus aucun espace ni pour la mémoire ni pour ses espoirs.

Alors j'abandonne les recherches, je capitule, demain je rentre chez moi. J'ai hâte de découvrir où j'habite.

Yann m'a apporté une grande valise où je fourre mes affaires, un sac pour toute une vie de grutier malhabile. J'observe le petit tas de mes effets personnels : je suis ce pull, cette chemise et cette paire de chaussettes, je suis un fils et un ami, je suis amoureux aussi, je suis ce que l'on veut que je sois, rien ne m'indispose, je veux bien être tout ça à la fois. Lorsqu'on revient à la vie on est plus docile, le principe d'humilité s'annexe à tout, il convient de faire profil bas et de remercier le Ciel. Ça je sais faire, y monter aussi, soixante-dix-huit marches pour atteindre ma cabine, j'y retourne demain, excité comme un enfant. Mon patron confirme que je pourrai reprendre ma place aux commandes de ma Liebherr, les tests médicaux démontrent le retour flamboyant de mes capacités à piloter la machine.

Mon père m'a appelé ce matin. Il fait beau dans le Sud. Il s'est remis à la pétanque et au pastis, il a soupiré en disant cela, comme si l'obligation de fonctionner comme avant s'était muée en un piège inéluctable :

— Pour la première fois, je me suis ennuyé.

Je l'ai écouté et j'ai eu pitié de cet homme, Bernie, lequel n'a comme seule échappatoire que la résignation la plus totale.

— Je peux revenir dans quelques semaines ? J'aimerais te voir piloter ta grue.

Au bout de trente-sept ans et par la grâce d'un crâne heurté par accident, je suis devenu le seul espoir de mon père.

Je vais revenir à mon échassier métallique, à mon appartement loué par mon employeur pour une période d'un an et huit mois, revenir aux caprices du golfe de Gascogne, aux nuances jades qu'il éploie et aux terreurs campées parfois dans ses entrailles. Je commence à préférer l'océan Atlantique à la Méditerranée, qui m'a vu naître. Il est comme moi, ne se souvient de rien ou si peu, ses inconstances brouillent les souvenirs, tout est retourné sur le ressac, il faut faire avec le capricieux et l'altérable et surtout ne pouvoir se fier à rien.

Comme je quitte cet hôpital, je marche dans cette ville ou je ne reconnais ni les rues ni les bâtiments, Yann m'attend devant un immeuble moderne dont j'ai récité l'adresse au taxi.

— Bienvenue chez toi !

Je grimpe les marches de l'escalier, ouvre la porte d'entrée, je reconnais par endroits des tableaux et quelques objets qui me rappellent ma mère et ma vie dans le Sud. Le reste, l'espace, la disposition des meubles dans la pièce, l'odeur de l'air que j'y respire et la lumière qui bombarde le salon à travers la vitre, le reste ne me dit rien. Je fais le tour de l'appartement plusieurs fois, je suis comme un chat qu'on pose dans un endroit inconnu, je voudrais me cacher sous une armoire ou faire pipi quelque part, mais au lieu de ça je reste à regarder dehors, à travers la vitre, la mer qui, par-delà le toit des maisons, ressemble à la moquette olive de la chambre de mon enfance.

Et sur la table, bien au milieu, se trouve mon casque jaune, fendu de part et d'autre.

Sur le bar de la cafétéria, la boîte est posée, ouverte, presque vide, les biscuits ont été avalés d'une traite par ses camarades d'études, une large majorité d'hommes, souvent plus âgés. Ils la prennent pour une femme comme tant d'autres, amatrice de pâtisserie.

– C'est toi qui les as faits ?

Elle n'avait pas songé à ça, qu'ils lui poseraient la question avec dans les yeux quelque chose de rassuré, d'apaisé. Certes elle fait des études pour être marin-pêcheur, certes elle est de loin celle qui maîtrise le mieux les réglementations des pêches maritimes ou les paramètres physico-chimiques du milieu océanique, mais elle fait des gâteaux, alors voilà tout est mieux qui, subitement, rentre dans l'ordre. Pour tenir il va falloir qu'elle trouve un sens comique à tout ça, alors elle observe le professeur du jour s'adresser à ses élèves.

– Bonjour, messieurs.

Ignorant volontairement qu'elle fait partie du groupe et imagine ses traits se fondre dans ceux de Peter Sellers, l'enseignant qui devient le clown abruti, sauvé par un début de poésie planquée tout au fond de ses ignorances, et ça l'aide, ça lui permet de laisser filer l'absurde.

– Il n'y a pas grand monde pour trouver ce que je fais courageux ou formidable.

C'est ce qu'elle a confié à Flan l'autre jour.

— Même toi tu voudrais que je revienne au salon.

L'Irlandais a contesté :

— Tu es ma seule amie à Kerlé. *Of course I'd rather have you with me in the salon*, mais si tu préfères la mer à tes potes...

Il termine sa phrase en même temps qu'il rit, lui administre un clin d'œil, elle sait bien qu'il est fier d'elle.

Elle quitte le centre de formation ce jeudi, remonte la rue jusqu'à l'arrêt de bus, Claire Denamur à fond dans ses oreilles, quarante-cinq minutes à laisser le paysage filer sur sa gauche et, de l'autre côté, la mer qui s'en va et qui revient au gré des immeubles, des arbres ou de la chaussée qui se détourne du littoral. Elle descend à l'arrêt Kerlé/Centre-ville, planté temporairement en bordure du chantier. La grue se meut lentement dans un mouvement latéral. Anka assiste au déploiement d'un corps métallique gracile, le ballant glisse vers sa proie, couvert par le bruit d'une vie de province que des rafales dispersent aussitôt. La pince attrape une poutre en acier d'une vingtaine de mètres, de là-haut le grutier pilote avec le doigté d'un chirurgien, la moindre erreur au sol peut tourner au désastre. Il est concentré, procède par légers à-coups, ajuste sa position juste au-dessus du monstre objet, pile à sa verticale. L'équipe au sol prend le relais, ajuste les élingues de levage, auxquelles elle ajoute des sangles de sécurité fixées à un treuil, la charge est énorme, la procédure tatillonne. Anka observe le ballet des mains gantées et des casques jaunes, elle songe à Marcus, ça n'a rien d'inhabituel, elle pense à lui tous les jours, plusieurs fois. Elle aurait aimé le revoir, mais l'étrange petite musique familiale est passée par là, elle sait bien qu'elle doit s'éloigner du bord de la falaise, car juste en dessous chantent des sirènes obsédantes. Les semaines passant, elle s'est résignée. Ses cours du brevet et les neuf mois qu'elle devra passer en mer pour obtenir son diplôme ont eu raison de quelques illusions à peine nées que déjà mortes. La roue tourne, à cette inertie-là, les sentiments ne résistent pas, le vent respire, gémit et, de tout cela, l'océan se fout.

Elle observe fixement, fascinée par le travail des petits hommes sur le pavé, puis elle détourne la tête vers la cabine de chantier. Il y est adossé, à l'extrémité gauche, il parle avec son équipe, elle ignore si ce qu'elle voit est réel, de loin il ressemble à l'homme couché, au Marcus inerte qu'elle connaît, torse, bouche, aine, le corps tout entier offert à son avidité. Aussitôt elle repense à ce qu'elle a fait ce jour-là, le goûter un peu, juste en surface, l'embrasser de son torse à son ventre, qu'a-t-elle réellement entamé de son intégrité ? Elle le regarde encore, il est là-bas, debout, de tout cela il se souvient peut-être, elle ne peut pas faire un pas de plus, et pourtant, elle progresse dans sa direction, un pied transi devant l'autre, tout est soudain très automatique.

— Vous êtes Marcus ?

Il se retourne, la découvre tout à côté, il est étonné qu'elle connaisse son prénom. Alors il acquiesce en bredouillant.

— Tu es devenu une star ! ironise Yann, juste à côté.

— J'étais en dessous quand vous êtes tombé. Votre casque, c'est moi qui l'ai ramassé. Voilà, elle hésite un peu, je suis contente de voir que vous allez mieux.

— Waou, siffle Yann en dévisageant Anka, je crois que moi aussi je vais aller me fracasser le crâne...

— T'es con, Marcus sourit, un peu gêné, c'est gentil merci.

Elle le contemple comme un objet précieux, ne se rend pas compte de l'intensité de son regard, Marcus en est troublé, il cafouille encore quelques mots de convenance et le fait qu'il soit en mouvement la trouble chaque seconde un peu plus.

— Vous allez reprendre du service ?

— J'y vais là, je monte. Je suis excité comme un gamin ! Je crois que c'est ce qui m'a fait revenir dans le monde des vivants, cette grosse machine.

Anka prend la phrase dans le mou du ventre, un peu comme un coup, peut-être une caresse. Elle ne sait pas si elle doit baisser les yeux ou crier *Alléluia*. Sur le moment elle a envie de lui demander s'il aime le potage ou les biscuits maison, mais elle se retient, ravale un fou-rire et lui répond simplement :

— Je suis contente.

Il la contemple, elle a les yeux en amande, des cheveux châtains mi-longs, le grain de sa peau excite le soleil qui frappe en oblique, il est plus de 16 heures.

— Vous voulez monter avec moi ?

— Là-haut ?

Il abonde, le sourire aux yeux.

— La vue sur l'océan est magnifique.

Anka s'approche de Marcus, à qui Yann refile un coup de coude manifeste.

— Tu peux pas la faire monter, elle est pas assurée !

— C'est toi le chef, oui ou non ?

Marcus n'attend pas sa réponse, il se tourne vers la jeune femme :

— Vous avez peur ?

Elle sourit, hausse les épaules, ça n'est pas une question, évidemment qu'elle n'a pas peur, au quotidien elle pilote un engin tout aussi périlleux que le sien, c'est étrange au fond à quel point ils font tous les deux un métier semblable, où le risque, omniprésent, est le sel du système.

— Je suis marin-pêcheur.

Elle prononce les mots comme on souffle une bulle de savon, ressent aussitôt en elle la propagation d'un souffle chaud qui court jusque dans son dos.

— Marin-pêcheuse.

Elle prend la peine de préciser, puis elle éclate d'un rire large, léger mais solide. C'est la première fois qu'elle a l'occasion de dire ce qu'elle fait, la première fois qu'elle éprouve de la fierté à ajouter une fonction à sa personne et c'est à lui qu'elle s'adresse. C'est la première fois qu'elle précise *Je suis marin-pêcheuse* et elle a envie d'ajouter *Si tu savais comme ça vient de loin, de haut, de large, de profond. De partout.*

Elle parle, elle parle, elle ne dit pas grand-chose, elle dit juste :

— Je suis marin-pêcheur, enfin marin-pêcheuse plutôt.

La phrase est courte, mais Marcus a l'impression qu'en deux secondes elle vient de tout révéler. Il l'observe, la marin-pêcheuse, les mains plantées dans ses poches, elle porte sa tête comme un trophée, bien droite, elle regarde loin devant, les yeux grands ouverts. Il y a quelque chose d'une victoire dans ce corps qui va chercher vers le ciel.

Marcus lui tend un casque, qu'elle fixe avec un doute mêlé d'ironie :

— C'est dangereux ces trucs... ça a failli me tuer.

— Quelle ironie.

Marcus la trouve drôle et charmante, Yann aussi, qui l'observe avec curiosité se tortiller, légère, presque aérienne. Elle racle sa gorge comme pour émettre la présence d'un doute.

— Moi je vous ai vu pendre à un gros fil la tête en bas, pardon mais c'était pas très glorieux non plus.

La surenchère dans l'humour leur va bien, Yann se dit qu'il y a chez ces deux êtres quelque chose de très heureux à dédrama-tiser ainsi ce qui, pour l'un comme pour l'autre, aurait pu être une tragédie.

— Allez-y, montez la première, je vous suis !

Elle hésite à peine, et lui, comme un gamin, désigne le ciel en ajoutant :

— C'est tout droit.

Alors d'échelles en plateformes intermédiaires, elle pose les pieds, l'un puis l'autre, avec une certaine prudence elle gravit les quinze marches en constatant que le petit monde de Kerlé s'éloigne, tiré vers le bas et elle observe tout autour la campagne immense et droit devant, la mer qui l'est bien plus encore.

Au sommet, le palier est étroit, le sol grillagé, on voit la ville à travers. Anka est essoufflée. Plusieurs fois durant l'ascension, elle s'est inquiétée pour Marcus, jetant un œil sous elle, mais le grutier, vaillamment, la suivait de près, se souciant bien plus de la guetter que de sa propre condition.

Ils sont assis côte à côte à l'extérieur de la cabine, tout au bord, quatre jambes pendent dans le vide. Marcus a allumé ses baffles, des notes de jazz glanent progressivement des dièses au vent. Dans un premier temps, il ne dit rien, se contente de respirer les yeux grands ouverts et, juste à côté, Anka, fascinée, scrute le moindre détail aux alentours, fourre son regard un peu partout, parfois elle prononce un mot s'en allant aussi vite avec la brise. Marcus ne l'entend pas réciter des portions de vie, il ne dit rien, de son côté, retrouve ainsi l'endroit de sa chute, il sonde la flèche et revoit le petit parcours qu'il a entrepris juste avant de tomber. Il respire de plus en plus fort, ne s'en rend pas compte.

— Ça va ? lui demande Anka.

— Bien !

Il la regarde et ça dure un temps fou, comme s'il la découvrait pour la première fois, peut-être a-t-il oublié l'espace d'un instant qu'elle était là, juste à côté de lui. Elle se tient bien droite, les mains posées sur ses cuisses, mais qui est-elle ?

— Le plus beau bureau du monde...

— Non, le plus beau, c'est le mien !

Anka pointe du doigt le port, qu'on aperçoit très distinctement malgré la lumière qui baisse, elle s'engouffre dans une description des lieux très assurée, elle veut lui montrer le *Baïkonour*.

— C'est l'avant-dernier, à l'extrême gauche, juste derrière le gros voilier bleu.

— Il est beau.

— C'était celui de mon père.

Puis, comme un automatisme, elle scrute le périmètre municipal, passe d'un endroit à l'autre, se met à raconter les endroits qu'elle désigne.

— Là c'est la maison de mes parents, celle où j'ai grandi.

Et ce faisant elle constate que la lumière de la cuisine est allumée, imagine alors la silhouette de sa mère, réduite par le chagrin, enflée par l'espoir, qui s'affaire encore, à cette heure du jour, entre légumes et épices, à préparer toujours la pitance d'un port tout entier. À Marcus, elle murmure simplement :

— Elle a changé. Depuis la mort de mon père, elle fait la cuisine.

Son doigt pointé vers Kerlé balaie ensuite le port, la préfecture, la capitainerie, à chaque endroit elle ajoute quelques mots d'explication, puis elle remonte à l'ouest, traverse la Grand-Place sous la grue, à présent, son index versé presque à la verticale en dessous d'eux distingue le troquet de Lucas :

— Où chaque matin j'emporte un café.

La boulangerie d'Yves :

— Quel con ce mec.

Reconnaît ensuite Annie et Jean, les charcutiers, qui remontent la colonne des bars en enfilade, et braque enfin le salon de Line, évitant scrupuleusement d'ajouter : *Où j'ai travaillé pendant cinq ans.*

Quelle utilité y aurait-il à revenir sur sa vie d'avant, désertée de la fierté d'être soi-même, à présent elle est marin-pêcheuse et rien que le penser, ou, mieux encore, le dire, l'emplit d'une estime dont elle se sent vêtue comme d'un habit soigné. Elle redresse aussitôt plus au nord, laisse l'Atlantique vaquer derrière elle, le dos tourné à ce fielleux qu'elle vénère plus que tout.

— Ça vous est arrivé d'avoir peur d'être ici ?

Il est étonné par la question, il le sait, lui, que c'est précisément parce qu'il craint ce qui l'attend chaque matin au sommet de cet arc d'acier qu'il y revient autant, avec la rage et la passion, l'envie de posséder ce qui le fait frémir, d'exister dans une forme suprême et excessive, et c'est ainsi, et seulement de cette manière, bardé de ces extrêmes, qu'il se sent advenir à la vie. Mais il ignore quoi répondre, à cette femme qu'il ne connaît pas, pourtant aisée, presque coutumière, qui lui dit tout et rien à la fois. Son corps est attiré par le sien, il a le sentiment qu'ils sont magnétiques l'un à l'autre, lorsqu'elle parle, quoi qu'elle dise, elle force en lui la clarté.

– J'ai peur mais j'ai confiance.

Il a conscience aussi bien du paradoxe de cette phrase que de la possibilité pour Anka de la comprendre parfaitement. Ainsi, elle sourit, largement et pour longtemps.

– Et là c'est chez moi, poursuit-elle.

Plus loin, sur les hauteurs de la ville, elle distingue le bâtiment et précise l'étage :

– Au quatrième, la fenêtre à l'extrême droite, c'est mon appartement.

– Je sais.

Ça sort tout seul, il en est le premier étonné, il porte sa main à sa bouche comme pour éviter la dérobade d'un animal, tout petit, fuyant d'entre ses lèvres par surprise. Puis il bredouille, confus, quelques syllabes d'infortune pour se contredire, bien sûr que non, il ne sait pas, comment pourrait-il ?

– C'est l'altitude, plaisante Anka.

– Je parle comme si je vous connaissais, c'est absurde.

Il se gratte les sourcils, à gauche, à droite simultanément, de quoi se donner une contenance et l'inconnue juste à côté qui soudain s'inquiète, son cœur s'affaisse dans sa poitrine et cogne ses angoisses aux parois internes, un germe de tourbillon qui prend racine à cet endroit précis, c'est elle qui l'a éprouvé à son insu, l'a reniflé comme un animal sauvage et qui a profité petitement de ce corps inconscient, alors soudain elle ne sait plus qui de l'un connaît l'autre, elle l'observe remuer sur lui-même, encore pleinement confus, elle a soudain la tête qui tourne d'être tout là-haut, détachée enfin. Elle voudrait lui dire *Je t'aime*, peu importe finalement que ce soit une chose que l'on murmure à la lumière de la nuit, mais elle n'en fait rien, et, juste à côté d'elle, Marcus lui prend la main, récitant tout haut et parlant très fort, à la manière des guides de musées.

— À votre gauche le golfe de Gascogne, 223 000 kilomètres carrés d'une masse d'eau salée recouvrant une plaine abyssale creusée jusqu'à 4 735 mètres. Et droit devant, Kerlé, 12 437 habitants, située à vingt kilomètres à l'ouest de Lorient, département du Morbihan, région Bretagne.

Puis, il se retourne vers Anka et lui demande, le regard paré d'un émoi badin :

— Des questions, mademoiselle ?

Remerciements

Le deuxième roman, c'est toute une histoire.

Merci, donc, à vous ; celles et ceux qui m'ont encouragée à planquer le doute dans un coin, le plus étroit possible.

La couverture de *Baïkonour* a été imprimée
sur une carte Rives Sensation tactile Gloss
avec un marquage à chaud coloré n° CG45.
Les polices utilisées sont la Domaine Display
et la NewParis Headline.
L'ouvrage, composé en Romain BP,
est imprimé sur papier Aura.

Composition et mise en pages
Nord Compo à Villeneuve-d'Ascq

Achevé d'imprimer en France
par CPI Firmin Didot
en juin 2019
N° d'impression : 152570